Le chien
qui vous convient

Données de catalogage avant publication (Canada)

Dehasse, Joël
Le chien qui vous convient: tout ce que vous devez savoir pour faire un bon choix

(Vivre avec nos animaux)

1. Chiens. I. Titre. II. Collection.

SF426.D44 2001 636.7'081 C2001-941454-4

DISTRIBUTEURS EXCLUSIFS:

- Pour le Canada
et les États-Unis:
MESSAGERIES ADP*
955, rue Amherst
Montréal, Québec
H2L 3K4
Tél.: (514) 523-1182
Télécopieur: (514) 939-0406
* Filiale de Sogides ltée

- Pour la France et les autres pays:
VIVENDI UNIVERSAL PUBLISHING SERVICES
Immeuble Paryseine, 3, Allée de la Seine
94854 Ivry Cedex
Tél.: 01 49 59 11 89/91
Télécopieur: 01 49 59 11 96
Commandes: Tél.: 02 38 32 71 00
Télécopieur: 02 38 32 71 28

- Pour la Suisse:
VIVENDI UNIVERSAL PUBLISHING SERVICES SUISSE
Case postale 69 - 1701 Fribourg - Suisse
Tél.: (41-26) 460-80-60
Télécopieur: (41-26) 460-80-68
Internet: www.havas.ch
Email: office@havas.ch
DISTRIBUTION: OLF SA
Z.I. 3, Corminbœuf
Case postale 1061
CH-1701 FRIBOURG
Commandes: Tél.: (41-26) 467-53-33
Télécopieur: (41-26) 467-54-66

- Pour la Belgique et le Luxembourg:
VIVENDI UNIVERSAL PUBLISHING SERVICES BENELUX
Boulevard de l'Europe 117
B-1301 Wavre
Tél.: (010) 42-03-20
Télécopieur: (010) 41-20-24
http://www.vups.be
Email: info@vups.be

Pour en savoir davantage sur nos publications,
visitez notre site: **www.edjour.com**
Autres sites à visiter: www.edhomme.com • www.edtypo.com
www.edvlb.com • www.edhexagone.com • www.edutilis.com

Dépôt légal: 3e trimestre 2001
Bibliothèque nationale du Québec

ISBN 2-8904-4703-0

site de l'auteur: www.joeldehasse.com

L'Éditeur bénéficie du soutien de la Société de développement des entreprises culturelles du Québec pour son programme d'édition.

Nous reconnaissons l'aide financière du gouvernement du Canada par l'entremise du Programme d'aide au développement de l'industrie de l'édition (PADIÉ) pour nos activités d'édition.

Dr Joël Dehasse

Le chien qui vous convient

Tout ce qu'il faut savoir pour faire un bon choix

Introduction

J'ai envie d'un chien, c'est sympa ! Oui, mais quelle race vais-je choisir ? Un mâle ou une femelle ? Un chiot ou un chien adulte ? Avant d'adopter un chien, les futurs adoptants se posent toutes sortes de questions.

Des questions existentielles

- Qu'est-ce qu'un chien ?
- Pourquoi adopterais-je un chien ? Quelles sont mes motivations, mes attentes ?
- Si j'adopte un chien, qu'est-ce que cela va changer dans ma vie et dans celle de ma famille ?
- Qui va prendre la décision ? Moi ? Les enfants ?
- Quelles seront les relations du chien avec mes enfants ?

Des questions pratiques

- Quelle esthétique, quelle taille, etc. ?
- Quand l'adopterais-je ?
- Comment faire pour adopter un chien ?
- Comment sélectionner un bon chien ?

Des questions fonctionnelles

- Comment soigner mon chien ?
- Quels sont les différents intervenants ou les métiers associés au chien ?

Les chapitres de ce guide répondent à toutes ces questions. Vous pourrez ainsi mieux préciser vos choix, prendre conscience de vos émotions et de vos pensées sur ce sujet, clarifier et organiser vos idées, gagner du temps de réflexion, prendre des décisions en toute confiance, avoir le sentiment de faire le bon choix. En adoptant un chien, n'oubliez pas que vous vous engagez pour les 10 à 15 prochaines années.

Première partie
Les questions existentielles

Qu'est-ce qu'un chien?

Une bien curieuse question!

Quand je pose la question « Qu'est-ce qu'un chien? », lors de conférences, les réponses sont très intéressantes.

Un chien, c'est:
- un animal à quatre pattes;
- un animal qui aboie;
- un cœur avec des poils;
- un être dépendant, incapable de se débrouiller seul;
- un confident toujours présent.

Mais aussi, un chien, ce n'est pas:
- une araignée;
- un chat;
- un oiseau;
- un être humain;
- un objet.

On peut donc définir le chien de façon positive (ce qu'il représente) et de façon négative (ce qu'il ne représente pas). Chaque représentation a sa définition propre.

Le chien en zoologie

En zoologie, on dira que le chien est une espèce dénommée *Canis familiaris,* qui appartient à la famille des canidés. Celle-ci comprend 38 espèces parmi lesquelles on trouve le loup *(Canis lupus),* le renard roux *(Vulpes vulpes),* le chacal doré *(Canis aureus),* le coyote *(Canis latrans),* le dingo *(Canis familiaris dingo)* et bien d'autres encore.

Le chien peut se reproduire avec le loup et le chacal, et donner une descendance fertile. Cela prouve une communauté génétique certaine, au point que certains scientifiques du XVIIIe siècle voulaient faire de ces trois espèces une espèce commune. Des analyses comportementales, morphologiques et biologiques ont toutefois démontré que l'ancêtre principal, sinon unique, du chien est le loup *(Canis lupus).*

Mais laissons de côté ces considérations scientifiques pour revenir aux représentations en psychologie populaire.

Le chien et l'idée qu'on en a

Un chien, c'est d'abord une représentation. L'être humain entre en relation, non pas avec l'animal, mais avec l'idée qu'il s'en fait. Cette idée se reconstruit et se modifie au cours de la relation, c'est-à-dire au fil du temps.

Un jour, quelqu'un a répondu à ma question « qu'est-ce qu'un chien », que son chien était « un cœur avec des poils ». Cette personne entretenait une relation affective appréciable avec son chien – une relation de cœur – et considérait comme agréable le contact avec le pelage du chien. Le chien est un être d'attachement. Et cela veut dire que pour certains humains, sa présence est nécessaire et son absence, stressante.

De ces deux définitions – *Canis familiaris* ou un cœur avec des poils –, laquelle vous semble la plus pertinente ? C'est une question piège, je l'avoue. Surtout, ne choisissez pas entre ces deux définitions, elles sont toutes les deux correctes et pertinentes.

Le chien est dépendant de l'homme

Dans les réponses à la question « qu'est-ce qu'un chien », les gens soutiennent que le chien est un être dépendant. À l'exception de quelques cas isolés de chiens familiers retournés à l'état sauvage, particulièrement des races husky ou chow-chow, le chien de nos pays occidentaux est incapable de subvenir seul à ses besoins. Le chien est un être dépendant. Des milliers d'années de domesticité et de sélection ont transformé les chiens pour en faire des êtres familiers sociaux. Il existe bien des meutes de chiens errants se nourrissant de détritus ou chassant une proie à l'occasion, mais il s'agit d'une petite minorité. Votre chien de compagnie, qu'il soit caniche ou saint-bernard, Jack Russel terrier ou lévrier, ne pourra survivre seul dans une nature désormais inhospitalière pour lui. Un chien n'est pas un loup.

Mais le chien est toujours capable de chasser occasionnellement. Tout chien a ce potentiel. Et le chien a gardé sa capacité de mordre, de blesser et de tuer.

Chien familier et prédateur, domestique et mordant, le chien est un paradoxe. Sa présence dans nos foyers est aussi un paradoxe. Pourrons-nous élucider ces paradoxes ?

Le chien en quelques mots

Le chien est un animal social. Il vit obligatoirement avec d'autres individus : des chiens ou des personnes. C'est un être d'attachement. En d'autres mots, il a tendance à rester à proximité d'un ou de plusieurs individus. Il est attachant, souvent affectueux. Il est sociable et recherche le contact. Il est aussi dépendant. Dès lors, il peut avoir des difficultés à vivre seul. Mais on peut lui apprendre à tolérer la solitude pendant l'absence de ses propriétaires.

Le chien vit en groupe organisé : c'est la meute. Lorsqu'il vit avec l'homme, le groupe, c'est la famille. Il existe des similitudes dans l'organisation de la meute et de la famille. L'une et l'autre sont hiérarchisées. Les parents ont autorité sur les enfants et les adolescents font des crises d'autonomie. À la différence des humains, les chiens ne pourront pas fonder leur propre famille ; ils seront obligés de rester avec leurs maîtres. Cela peut entraîner des conflits et des problèmes d'autorité.

Dans la meute, le chien vit sous la dépendance d'un couple dominant. En règle générale, le dominant est une figure masculine, le patriarche, et ce mâle dominant a des relations privilégiées avec une figure féminine. Le couple dominant a bien des privilèges : il mange quand il veut, il contrôle les déplacements des membres du groupe, il obtient selon son désir les attentions et les caresses qu'il demande. Le dominant se promène fièrement, les oreilles et la queue dressées. Il peut défendre ses privilèges en mordant. Et le chien a des dents de prédateur, des dents solides implantées dans des mâchoires puissantes.

Comme nous, le chien est actif le jour (diurne) et s'adapte donc facilement à nos rythmes de vie.

Le chien vit avec l'être humain depuis 15 000 ans

Le chien a été le premier animal domestiqué. Cette longue vie commune démontre que vivre avec un chien n'est pas trop compliqué et que l'homme et le chien arrivent à communiquer et à se comprendre. Pendant ces milliers d'années, le chien a travaillé pour gagner sa pitance : chien de berger, chien de chasse, chien de guerre... Aujourd'hui, ses rôles se sont diversifiés, mais il joue surtout celui de chien de compagnie. Et ce rôle n'est pas simple, car le chien n'apprécie pas l'inactivité. Il faudra donc envisager d'occuper votre chien avec des activités diverses comme la promenade, le jogging et l'*agility*. Ne pensez pas que le laisser seul au jardin suffira ; le chien joue plus souvent en groupe.

Ayant vécu avec l'homme depuis si longtemps, il a subi de multiples sélections qui ont fait varier sa taille et créé de nombreuses races. Certains chiens ne pèsent qu'un kilo et d'autres dépassent les 100 kilos. Il y a des chiens développés pour la course, avec des membres graciles et longs, comme les lévriers, et des chiens sélectionnés pour se faufiler dans les terriers, comme le Jack Russell terrier. Il y a des chiens élancés, des chiens trapus, des chiens à poil court, des chiens à poil long, des chiens à poil dur, des chiens qui perdent leur poil lors des mues de printemps et d'automne, et d'autres qu'il faut tondre, comme le caniche. Le chien présente tout un éventail de choix esthétiques, de tailles et de couleurs.

Quelles sont mes motivations, mes attentes ?

Mes motivations – elles sont toujours plurielles – devraient être formulées et écrites sur papier, afin que la décision d'acquérir un chien soit la plus logique ou la plus raisonnable possible. Pourquoi raisonnable? Parce qu'un chien vit entre 10 et 15 ans, et qu'il me semble préférable de ne pas s'engager sur un coup de tête ou une impulsion passagère. Et comme nous le verrons, les émotions et les sentiments jouent un rôle important. (Les exemples suivants ne sont pas limitatifs.)

Pourquoi vouloir un chien ?

Outre les raisons professionnelles qui font que l'on recherche un chien de garde, de chasse ou avec des qualifications particulières, on peut vouloir un chien pour diverses raisons, par exemple :

- comme compagnon : pour avoir quelqu'un à qui parler, pour ne pas être seul ;
- pour une protection : pour avoir un sentiment de sécurité quand on est seul à la maison ou en promenade, pour avertir lorsqu'il y a quelque chose d'inhabituel dans le voisinage ;
- pour la récréation : pour jouer, se balader, faire du jogging, du vélo ou de l'équitation accompagné ;

- par affection: par amour, par attachement, parce qu'on en a eu un avant et qu'on ne peut pas vivre sans chien, pour combler un manque affectif;
- pour l'enseignement: pour donner aux enfants des leçons de vie, comme objet transitionnel pour faciliter le passage de l'enfant du giron maternel à l'autonomie;
- comme thérapie: pour faciliter l'expression sociale d'un enfant handicapé, pour soigner son couple, pour faciliter le deuil d'un chien précédent;
- pour le prestige: pour montrer qu'on a un chien et pas n'importe lequel, pour se faire valoir en compétition d'*agility*;
- par utilité: pour faire de l'exercice après une affection débilitante;
- pour le sport: pour faire du sport avec lui ou pour lui faire faire du sport ou même de la compétition;
- et pour bien d'autres raisons encore.

Toutes ces motivations sont bonnes, mais elles auront un impact pratique sur la sélection du type de chien.

Pourquoi ne pas vouloir de chien?

Pourquoi refuser à un chien l'entrée dans notre maison?

- par affection: parce qu'on a perdu un chien, qu'on a eu trop de chagrin et qu'on ne veut plus revivre la même souffrance;
- par antipathie: parce qu'on ne les aime pas;
- par manque d'intérêt: parce qu'on ne trouve rien d'intéressant à avoir ou à côtoyer un chien;
- par contrainte: parce qu'avoir un chien, c'est contraignant, il faut le sortir quatre fois par jour, le placer pendant les vacances, ramasser ses crottes;
- par manque de place: parce que l'appartement est trop petit pour accommoder un chien;
- par manque d'argent: parce qu'un chien coûte cher et qu'on n'a pas les moyens financiers d'assurer son bien-être;

- par manque de temps: parce qu'on est trop souvent absent;
- et encore une fois pour beaucoup d'autres raisons.

Mes attentes cachées

Les attentes cachées ou inconscientes sont celles que l'on n'exprime pas, même en pensées. J'en parle ici pour les faire surgir à la conscience. Vous vous êtes peut-être reconnu dans les exemples précédents. Mais il y a encore des facteurs plus existentiels.

- Le remplacement d'un être aimé: un enfant disparu, un conjoint ou un parent décédé. Aucun chien ne remplacera un amour qui vous a été enlevé. Le chien pourra même souffrir d'être un sujet d'amour, puis de rejet, puisqu'il ne pourra jamais être à la hauteur de l'être cher disparu et idéalisé.
- Le manque d'amour: un chien peut combler un manque d'amour, mais il a sa personnalité propre, et certains chiens sont moins attachants qu'on ne l'espérait. Dès lors, la relation peut être décevante et le chien, rejeté affectivement ou abandonné.
- L'effet thérapeutique: un chien n'est pas un thérapeute. Il n'a pas les compétences intellectuelles et émotionnelles pour cela. Nous verrons que le chien peut apporter énormément aux humains, mais on ne devrait pas prendre un chien pour remplacer une thérapie ou un médicament. Cela ne marche pas.

Pourquoi maintenant?

Pourquoi adopter un chien aujourd'hui? Pourquoi pas hier ou pourquoi pas dans trois mois?

- Parce que j'ai vu un chiot (dans une vitrine de magasin ou chez un ami) et j'ai craqué. Il était tellement mignon!
- Parce que j'ai longtemps réfléchi après la mort de mon chien et que je pense que maintenant est le bon moment.
- Parce que mon chien vient de décéder et que je ne peux pas vivre sans chien.

- Parce que ma fille le demande depuis l'âge de 5 ans et qu'on lui a dit que ce serait son cadeau d'anniversaire le jour de ses 12 ans (on ne savait pas qu'elle ne l'oublierait pas et on respecte nos promesses).

Mais posez-vous tout de même la question: « Est-ce le bon moment, maintenant? »

Quels changements un chien apportera-t-il dans ma vie ?

Des changements peuvent se produire dans votre vie si vous adoptez un chien. Ils seront positifs, négatifs ou sans effet.

Pour faciliter l'aspect didactique, analysons l'effet d'un chien sur chacune de vos caractéristiques psychobiologiques. Prenez une grande feuille de papier vierge, divisez-la en deux colonnes et écrivez dans la colonne de gauche les effets négatifs et dans la colonne de droite les effets positifs. À la fin du chapitre, nous ferons un bilan.

Effets positifs

Les effets positifs produisent des changements attendus, espérés ou bienvenus. Ils vont vous donner plus d'énergie et vous valoriser.

L'organisme

Il est difficile de préciser l'effet d'un chien sur l'organisme, la tension artérielle, le fonctionnement des hormones et sur l'immunité. Si la relation est pleinement satisfaisante, l'impact est manifestement bénéfique. Une relation désirée et agréable avec un chien abaisse la tension artérielle (une relation imposée et désagréable l'élève).

L'humeur

Une relation satisfaisante favorise la bonne humeur et la stabilité du caractère.

Les émotions

Joie, plaisir, bonheur et gaieté accompagnent une relation saine et agréable. L'animal à qui l'on raconte ses secrets d'enfant ou d'adulte, et qui écoute son maître inlassablement pendant des heures permet une détente émotionnelle ; il « déstresse ». En posant sa tête sur vos genoux lorsque vous avez le cafard, le chien mettra un sourire sur vos lèvres et vous rendra moins morose.

Les pensées (cognitions)

Être social, le chien recherche le contact et aime communiquer. Ainsi facilite-t-il la communication et ouvre-t-il la pensée sociale. L'organisation de la journée sera structurée par les promenades, le repas du chien, etc. Le chien nous fait voir la vie différemment.

Les perceptions

Quand on a une bonne relation avec un chien, la vie est différente : on est sensible à de nouvelles choses. Par exemple, on remarque les voisins qui ont des chiens, les gens qui ont peur des chiens ; on découvre un monde d'odeurs auquel le chien nous initie, un monde que l'on n'aurait jamais perçu sans sa présence. Si on ajoute un chien à une photographie ou un dessin, on voit la scène autrement. L'animal modifie la perception et l'émotion ressentie. On entre plus facilement en contact avec des gens qui ont un chien (si on aime les chiens et si le chien n'est pas agressif) parce qu'on les perçoit comme plus sociables.

Les actions

Le maître doit promener son chien plusieurs fois par jour, ce qui met l'organisme en mouvement. Cet exercice est bénéfique pour la musculature. Avec les enfants, le jeu canalise l'énergie à des moments propices. Toute cette activité physique a des conséquences favorables sur l'organisme. Le maintien de l'activité est une bonne raison de recommander un chien aux personnes retraitées et aux personnes âgées.

Effets négatifs

Les effets négatifs produisent des changements inattendus et désagréables. Ils vont vous prendre de l'énergie et risquent de vous dévaloriser.

L'organisme

Si la relation est insatisfaisante, si le chien vous stresse, votre organisme s'en ressentira sur les plans de la fatigue et de la baisse de l'immunité… Si vous êtes allergique au poil de chien, vous risquez d'avoir de l'eczéma et de l'asthme. Heureusement, si vous êtes allergique au poil de chien, vous ne l'êtes peut-être pas à tous les types de poils. Certains chiens pourront vous convenir mieux que d'autres.

L'humeur

Une relation insatisfaisante entraîne de la mauvaise humeur et de l'instabilité, tant vis-à-vis du chien que du reste de la famille, des amis ou des collègues de travail.

Les émotions

Une relation désagréable provoque du déplaisir, de l'irritation, de la colère, de la tristesse et de la déception. Nettoyer les dégâts causés par le chien en votre absence, ramasser ses excréments, des morceaux de disque et de livre, ou la souris de l'ordinateur consciencieusement mâchée est très irritant.

Les pensées (cognitions)

La présence d'un chien hyperactif, destructeur et agressif entraîne une modification des pensées avec des angoisses et des anticipations de désagréments, d'incidents ou d'accidents, ce qui va accélérer la détérioration de la relation.

Les perceptions

Quand on promène un chien agressif, on devient très vigilant afin qu'il ne morde personne. On se met à porter attention aux personnes dans la rue, à remarquer leurs vêtements, à tenter de deviner les choses dont le chien va se méfier ou qu'il va attaquer. La perception du monde avec un chien anxieux ou agressif est très différente.

Les actions

Vivre avec un chien à problème, un chien hyperactif par exemple, est épuisant, et d'autant plus dans le cas d'une personne souffrant de fatigue chronique ou d'un handicap.

Les changements dans la vie pratique

Les changements dans le temps

Un chien va changer la routine et les horaires de la vie de tous les jours. Le rythme *quotidien* comportera par exemple les activités suivantes (pour une durée d'une à deux heures) :

- lever et première promenade du chien ;
- repas du matin du chien ;
- sortie facultative après le repas du matin (avant d'aller au travail) ;
- repas du midi (facultatif) ;
- deuxième sortie du chien au maximum 8 h après la première promenade ;
- une demi-heure d'activités, de jeux, de course en commun ;
- troisième sortie du chien au maximum 4 h après la deuxième sortie ;
- repas du soir ;
- quatrième sortie du chien avant le coucher avec nécessité de vérifier s'il a bien éliminé ;
- coucher du chien dans un lieu adéquat.

Le rythme *hebdomadaire* comportera une ou deux sorties plus longues pour permettre au chien de se défouler librement, sans laisse, à travers parcs, champs ou bois.

Le rythme *mensuel* n'est pas très perturbé. En revanche, le rythme *annuel* est ponctué par les vacances ; il faut donc prendre des décisions pour les vacances semestrielles et annuelles, et déterminer si on les prend avec ou sans le chien. Dans ce dernier cas, il faut trouver une solution pour faire garder le chien (amis, chenil de vacances…). Il faut également programmer les visites de contrôle chez le vétérinaire, la prise des vermifuges et autres obligations.

Pour le rythme de la *décade,* on devra tenir compte des besoins particuliers du chiot et du chien âgé comme, par exemple, des sorties plus fréquentes.

Les changements dans l'espace

Le chien nécessite plus ou moins d'espace selon sa taille et son besoin d'activité. Le chien ne transpire pas, mais en respirant, il dégage de la vapeur. Il a donc besoin de lieux de vie aérés. En général, un chien prend la place d'une personne. Pensez-y et aménagez la maison en conséquence.

- Il est préférable – c'est un conseil d'ordre général mais il y a des exceptions – que le chien ne dorme pas dans la chambre de ses maîtres ni dans le hall pendant la nuit. Il faut donc prévoir des lieux de couchage qui conviennent à chacun. Il peut dormir dans la cuisine, dans le salon, à la cave ou dans le hall pendant le jour, selon votre convenance et le rôle qu'il doit jouer.
- Un lieu adéquat où il pourra ronger un os sans mettre des détritus sur votre plus beau tapis est aussi à envisager.
- Faut-il un jardin ou une cour ? Un chien ne jouera guère seul dans un jardin ou une cour. Il préférera être accompagné de ses maîtres, d'enfants ou d'autres chiens. Acquérir une maison avec jardin n'est pas obligatoire, pour autant que le chien puisse courir tous les jours dehors et, si possible, sans laisse.
- Vivre en ville avec un chien, est-ce possible ? Oui, car il y a de plus en plus de parcs réservés aux chiens avec des poubelles pour déposer les déjections soigneusement ramassées par les propriétaires. Le chien de campagne a cependant plus de liberté que son collègue des villes.

- Les accès à la mer ou à la montagne sont parfois réglementés, les chiens sont alors obligés d'être tenus en laisse. À la mer, les accès peuvent aussi être aménagés par tranches horaires (par exemple accès avant 8 h et après 20 h).

Les changements dans l'organisation familiale

Quelle que soit la situation familiale actuelle (célibataire, marié, avec ou sans enfants, retraité...), pensez aux changements apportés par un chien dans votre organisation actuelle, mais aussi dans celle des 10 à 15 prochaines années. Que se passera-t-il si vous vous mariez, si vous avez des enfants, si vous partez à la retraite, si vous souffrez d'un handicap? Il faut choisir un type de chien en fonction de ces éléments quelque peu imprévisibles.

Envisagez aussi la complexité du système dans lequel vous allez évoluer. Dans un système, le nombre de relations est défini par une formule simple: $n \times (n - 1)$. Par exemple, s'il y a cinq individus (humains et animaux) en relation, il y aura $5 \times 4 = 20$ relations. Si on ajoute un chien à ce système, le nombre de relations passe de $5 \times 4 = 20$ à $6 \times 5 = 30$. Trente relations, c'est bien plus complexe que 20, non?

Le comportement du chien pendant la grossesse de sa maîtresse

Dans de nombreux cas, le chien semble informé de la grossesse de sa maîtresse. Il est même parfois le premier informé et son comportement se modifie. Il se pourrait que l'information lui soit communiquée par voie olfactive (les phéromones). Le chien est parfois irritable, parfois excitable, ou encore sexuellement énervé. Son irritabilité se manifeste envers tout le monde, y compris la femme enceinte. Il arrive aussi que le chien soit plus calme ou ne change pas d'humeur.

Le comportement du chien à l'arrivée d'un enfant

Ce sujet est abordé dans le chapitre intitulé Entre chiens et enfants.

Le bilan des changements

Examinez votre feuille de papier avec les deux colonnes de changements. Sont-ils tous compatibles avec vos projets de vie?

Qui doit prendre la décision ?

Le décideur

Il est préférable que le futur propriétaire d'un chien prenne lui-même la décision d'acquérir un chien plutôt que de se voir imposer l'animal, même comme cadeau désiré. En effet, seule une décision personnelle permet d'assumer toutes les responsabilités. Dans cet esprit, on ne laissera pas un enfant prendre la décision de choisir un animal, étant donné qu'il ne pourra jamais en endosser les responsabilités.

Il y a un aspect logique, mais aussi un aspect légal. Est responsable du chien son « responsable », son guide, celui qui en a la garde, et une personne non adulte légalement ne peut pas se voir transférer la charge légale d'un chien. Même si l'enfant mineur a une responsabilité financière (par exemple, s'il paie pour acquérir l'animal), il ne se verra pas transférer la garde légale du chien.

Pour des raisons familiales et pour garantir l'autorité aux personnes qui doivent l'exercer, ce sont les parents et non les enfants qui prendront la décision finale. Cela dit, un conseil de famille, avec vote démocratique, peut permettre de prendre la décision. Tout le monde a le droit de donner son avis, d'exposer ses arguments et de faire part de ses sentiments, et chacun doit écouter les autres.

La décision d'adopter un chien ne devrait pas se faire à la majorité, mais à l'*unanimité* du système familial.

Le chien comme récompense

Faut-il s'offrir un chien ou l'offrir à sa famille en récompense d'une action, d'un examen brillamment réussi, d'une performance ou autre ? Si la récompense est planifiée longtemps d'avance, pourquoi pas ? Si la récompense est impulsive, il vaut mieux éviter l'achat d'un chien.

Si la récompense est dans un lointain futur (par exemple, quand l'enfant aura 12 ans alors qu'il en a 10), il vaut mieux s'abstenir. Trop d'événements peuvent avoir lieu et il vaut mieux éviter de faire des promesses impossibles à tenir ou tenues à contrecœur. Ne laissez pas une ancienne promesse décider de votre présent et de votre avenir.

La décision sous condition

Offrir un chien à un enfant à condition qu'il en prenne soin est une utopie. Un enfant grandit trop vite et ses pôles d'intérêt changent trop rapidement pour qu'il prenne l'engagement de s'occuper d'un chien pendant 10 à 15 ans. Quand on offre un chien à un enfant de 10 ans, il faut se demander qui s'occupera du chien quand l'enfant aura 20 ans !

De même, dire qu'on adoptera un chien quand on prendra sa retraite est le même type d'illusion. Si on prend un chien à 60 ou 65 ans, comment s'occupera-t-on de lui à 70 ou 75 ans ? On reste jeune de plus en plus longtemps, mais tout de même ! J'ai vu des personnes de 60 ans adopter un dogue allemand (danois) mâle parce qu'ils en avaient toujours eu et n'avaient pas envisagé de... vieillir. En revanche, adopter un chien à 70 ans est une excellente idée, à condition que les enfants s'en occupent s'il advenait que l'on ne puisse plus le faire.

Le responsable du chien

Qui va prendre la responsabilité du chien? Si vous vivez seul, cette question ne vous concerne pas. Mais si vous vivez à deux, en famille, en groupe, en cohabitation, en association, cette question est importante. Être responsable d'un chien implique plusieurs obligations:

- la gestion quotidienne;
- la responsabilité financière;
- la responsabilité légale, civile et pénale;
- la gestion administrative.

Gestion quotidienne

Le chien est dépendant de l'homme. Il faut s'en occuper tous les jours; on ne peut pas le laisser à lui-même. Jour après jour (j'insiste), et même plusieurs fois par jour, il faut:

- le sortir: il doit éliminer, se détendre, se défouler (faire de l'exercice);
- le nourrir: autant de fois qu'il voit manger ses maîtres (si possible après eux);
- l'entretenir: le brosser, le peigner, etc.;
- l'éduquer: dans une vie de chien, rien ne devrait être gratuit, le chien devrait obéir pour obtenir une gratification quelconque;
- le caresser, le toucher: le chien est un animal de contact, il doit être touché, caressé, palpé et massé, et cela doit faire plaisir autant au maître qu'au chien.

Responsabilité financière

Qui prendra en charge le budget de l'alimentation, des soins (médicaments, vétérinaire), de l'entretien et du toilettage, des jouets et des gadgets, du matériel d'éducation (collier, laisse, muselière), de l'assurance (responsabilité civile du propriétaire, soins du chien), des frais de vacances (chenil, logement, frais supplémentaires d'avion...) ?

Responsabilité légale, civile et pénale

En général, est responsable le « responsable légal », celui qui a la garde du chien. C'est normalement le propriétaire majeur (selon l'âge légal en vigueur dans le pays).

En cas de morsure d'un tiers, le propriétaire sera responsable de son chien. Si le propriétaire a enfreint les lois (obligation de tenir le chien en laisse, port de la muselière, nécessité de ramasser les excréments), il peut être poursuivi au pénal. Si le chien a mordu ou causé des dégâts à un tiers ou à ses propriétés, le propriétaire peut être poursuivi au civil.

Gestion administrative

Un membre de la famille doit assurer la gestion administrative, c'est-à-dire déclarer le chien à la mairie (maison communale) en cas de nécessité légale, payer la redevance de la taxe (éventuelle), ranger les papiers du chien (carnet de vaccination, certificats de santé, pedigree, livres d'éducation, carte professionnelle des vétérinaires généralistes et spécialistes, certificat d'identification par tatouage ou puce électronique).

Entre chiens et enfants

Offrir un chien à un enfant

Faut-il offrir un chien à un enfant? Il existe différentes situations:

- l'enfant en fait la demande;
- le parent désire que son enfant soit éveillé au monde de l'animal.

La décision dépendra de l'âge de l'enfant, de sa capacité à prendre l'animal en charge et de la réflexion que l'on aura en famille sur le devenir du chien – qui a une vie moyenne de 10 à 15 ans – lorsque l'enfant grandira et, jeune adulte, quittera la maison.

- Il s'agit d'une *décision* familiale. Et si, pour les apparences, le chien est dit «appartenir» à l'enfant, il appartient en fait à son groupe familial en entier. À aucun moment on ne pourra reprocher à l'enfant de négliger son chien, puisqu'il s'agit d'une décision du groupe.
- Il s'agit d'une *organisation* familiale. Je conseille de faire un contrat, au sein de la famille, déterminant les rôles de chacun pour une durée limitée. Ce contrat devrait être réévalué tous les 3 ou 6 ou 12 mois, au choix des cosignataires. Ce délai sera inscrit au contrat.
- Il s'agit d'un *financement* familial. C'est la famille qui prend la charge financière du chien, de son alimentation, de ses frais vétérinaires, de ses vacances. On peut préciser dans le contrat ce que l'on attend de l'enfant ou de l'adolescent en fonction de son âge.

- Il s'agit d'une *gestion* familiale. Promener le chien, le nourrir, le sortir le matin, le midi, le soir, la nuit, le réconforter, le soigner, l'emmener chez le vétérinaire ou le toiletteur, l'éduquer, nettoyer les dégâts, et toute autre activité plaisante ou déplaisante sera répartie entre les membres de la famille suivant leur âge respectif, leurs possibilités (temps libre) et leurs compétences.

Prévoir le comportement du chien lors d'une naissance

Qu'est-ce qu'un bébé (ou un jeune enfant adopté) pour un chien? Il y a plusieurs réponses, dont les suivantes:

- une «chose» qui appartient au couple dominant (chien normal);
- une joie de plus dans la dynamique de la famille (chien normal);
- un intrus dans la vie, une perturbation des routines (chien anxieux);
- un concurrent pour la recherche de l'attention des propriétaires (chien normal);
- le coupable à écarter, une perte de privilèges (chien dominant);
- le chiot de la meute à s'approprier, à kidnapper (chienne dominante);
- un petit animal qui se chasse (chien chasseur, non socialisé);
- une chose inconnue qu'il faut éviter (chien phobique, anxieux);
- et autres.

Il est bon de consulter un vétérinaire comportementaliste afin de prévoir autant que possible le comportement du chien à l'arrivée d'un enfant.

Prévoir le comportement de l'enfant

Je ne suis ni pédiatre ni psychologue. J'ai donc classé les enfants par catégories d'âge, suivant ce que je connais de leur développement psychomoteur et suivant les observations cliniques. Tout enfant peut être agressé par un chien. Analysons le risque d'une agression défensive (le chien se défend contre un enfant qui va vers lui et le manipule) selon l'âge de l'enfant.

- De la naissance à 6 mois: l'enfant n'a pas de capacité motrice volontaire. Il est peu sujet à l'agression défensive d'un chien.
- De 6 mois à 1 an ou 18 mois: l'enfant marche à quatre pattes, puis assis sur un trotteur ou une marchette, et enfin debout. Il se déplace alors activement vers le chien; il est donc sujet à des réactions de défense la de part de l'animal.
- De 18 mois à 2 ans et demi ou 3 ans: l'enfant entre dans l'âge du «non», soit celui de l'autonomie de décision. Il teste ses parents et s'oppose à leurs conseils. C'est le moment où ils lui interdisent de toucher le chien, et l'enfant, en les regardant droit dans les yeux, empoignera le pelage du chien, lui mettra les doigts dans les yeux ou dans les oreilles. L'enfant court alors un maximum de risques.
- De 3 à 6 ans: le risque diminue, car l'enfant, surtout quand il vit avec des chiens, comprend mieux leur langage et les respecte; d'autre part, l'enfant commence à aller à l'école et n'est plus en permanence avec le chien.

Les risques

Il existe une règle absolue, quel que soit le chien. *On ne laisse pas un enfant de moins de trois ans et un chien ensemble sans une surveillance de chaque instant.* On ne quitte pas l'enfant pour répondre au téléphone dans une autre pièce, pour ouvrir la porte d'entrée ou pour autre chose. On emmène l'enfant ou le chien avec soi, mais on ne laisse pas les deux ensemble sans surveillance.

De même, on ne laisse pas un enfant jouer par terre à côté du chien pendant que l'on regarde la télévision ou qu'on lit un livre sans surveiller les deux compères. La vitesse de démarrage et d'accélération d'un chien est telle qu'on a bien peu de temps pour intervenir, même si on le surveille. Plus d'un parent a retrouvé son enfant ensanglanté sans avoir rien vu ni entendu. Seuls les pleurs de l'enfant les ont alertés, et ces parents sont incapables de vous décrire ce qui s'est passé.

Sans vouloir faire peur exagérément, je me dois de citer quelques chiffres relatifs aux enfants de moins de quatre ans:

- de 40 à 50% des enfants mordus ont moins de quatre ans;
- près de 80% des morsures se font à la tête;
- près de 80% des morsures provoquent des plaies ouvertes;
- le même type de morsure est 100 fois plus dangereux chez l'enfant que chez l'adulte.

Voici encore un dernier chiffre: un enfant sur deux se fera mordre avant d'atteindre l'âge de 18 ans, généralement par un chien bien connu (celui de la famille, des amis ou des voisins).

Le chien, l'agression et la sécurité

On entend parler dans les médias de chiens qui mordent. Le chien est-il un animal agressif, voire dangereux? Quel risque prend-on en adoptant un chien? Quel risque fait-on prendre à sa famille?

Le chien est un animal social et un prédateur

Dans la nature, le chien chasse en meute des proies plus grandes que lui. Pour ce faire, il doit être capable de mordre, de mordre fort et même de tuer. Le chien est capable de tuer des proies quatre à cinq fois plus grandes que lui. Cependant, le chien vit en meute. Il a besoin d'elle pour chasser et survivre. Sans les membres de son clan, il survivrait difficilement. Il devrait se rabattre sur des proies de petite taille, plus vives, plus aptes à se cacher dans un trou ou à monter aux arbres. Le chien n'est pas un chat, il ne peut capturer des proies agiles, sauf quand l'homme le sélectionne pour chasser des rats et autres animaux réputés nuisibles.

La meute étant hiérarchisée, le chien vit des conflits au sein du groupe. Ces conflits entraînent des bagarres. Avec ses armes, le chien serait capable de tuer son frère, sa sœur, ses congénères. Mais il ne le fait pas. Il a des inhibitions qui l'empêchent de tuer son congénère, de mordre les jeunes et les adversaires en position de soumission. Le mâle ne mord pas non plus les femelles.

Plus un animal est sociable, plus il a des armes puissantes, et plus il devrait avoir des inhibitions l'empêchant d'utiliser ses armes contre ses semblables. C'est le cas du chien qui vit au sein d'une famille. C'est moins le cas entre chiens de groupes différents. En outre, par manque de sélection génétique, on peut adopter un chien qui a des problèmes dans le contrôle de la morsure.

De nombreuses formes d'agression

Dans un ouvrage en préparation, j'étudie en détail le problème de l'agression chez le chien. Je reproduis ici quelques énoncés tirés de cet ouvrage.

La classification la plus simple des agressions serait la suivante:

- offensive: le chien se dirige vers la victime;
- défensive: le chien répond à l'approche d'un individu, se défendant (ou défendant un proche) d'un danger réel ou imaginaire;
- bizarre ou atypique: on ne peut pas déterminer si l'agression est offensive ou défensive.

On peut classer l'agression offensive en agression:

- par compétition (ou agression hiérarchique): lorsqu'il y a compétition pour des ressources;
- par frustration: en cas d'absence, d'inaccessibilité ou de retard d'un événement positif attendu;
- d'éloignement: lorsque l'effet de l'agression est de maintenir des individus à une distance sécuritaire;
- de prédation: de chasse (avec ou sans consommation de la proie);
- de poursuite d'un objet mobile;
- instrumentale ou hyperagression secondaire: forme grave d'agression sans menace et sans contrôle qui résulte de l'effet d'un auto-apprentissage par effets positifs de l'attaque conditionnement opérant; en effet, l'attaque étant efficace, le chien reproduit ce comportement plus souvent et avec une plus grande intensité.

On peut diviser l'agression défensive en agression:

- par irritation et douleur: en réaction à une douleur, une contrainte, une manipulation non désirée ou attendue, ou par intrusion de l'espace individuel;
- par peur: lorsqu'il y a invasion de la distance critique par un individu considéré comme un danger réel ou imaginaire, ou par un prédateur;
- par défense territoriale: en cas de menace d'invasion du territoire du groupe;
- par défense de la portée (maternelle): lorsqu'un individu considéré comme un danger réel ou imaginaire s'approche de la portée.

Cette classification est didactique et présente quelques imperfections qui ne sont pas importantes à ce niveau de connaissance. Il suffit de savoir que de nombreuses formes d'agression présentent une combinaison d'offensives et de défenses.

On pourrait classer les agressions en fonction de la victime, en agression:

- contre les humains;
- contre les chiens;
- contre un autre animal;
- contre un objet mobile: vélo, moto, auto… (poursuite).

On admet généralement que les agressions de chiens contre les humains sont comparables à celles des chiens entre eux. Cependant, les chiens inconnus qui se rencontrent en terrain neutre (parc, forêt) se font des propositions agressives avec des postures hautes et basses comme s'ils entraient en compétition hiérarchique, alors qu'ils ne vivent pas ensemble, qu'ils ne sont pas en compétition pour des ressources (aliment, partenaire sexuel…), si ce n'est pour un lieu de promenade et de jeux. En revanche, les chiens ne font pas les mêmes propositions agressives aux propriétaires des autres chiens; ils font très bien la différence entre les gens et les chiens. Cette forme d'agression remet en question la similarité des réactions agressives des chiens envers leurs congénères et envers les gens. Les agressions entre chiens sont différentes; on verra des agressions au sein du groupe social ou hors du groupe social.

Le chien est-il un animal dangereux ?

L'homme vit depuis 15 000 ans avec des chiens. Le chien n'a ni dévoré ni fait disparaître l'espèce humaine. L'entente est généralement bonne entre les deux espèces. Mais on sait aussi qu'un enfant sur deux se fera mordre par un chien avant d'atteindre ses 18 ans. C'est dire que le risque d'être mordu est important, mais ces morsures sont le plus souvent bénignes. Cela n'exclut toutefois pas les accidents.

Si l'on désire un risque zéro, soit l'absence de morsure, de bousculade ou de griffure, seul le chien en peluche est un chien sûr. Dès que l'on adopte un chien, on s'expose à un certain risque, risque que l'on minimise cependant en sélectionnant son chien soigneusement et, surtout, en l'éduquant correctement.

Deuxième partie
Les questions pratiques

Quel chien me conviendrait ?

Les vétérinaires se font poser cette question toutes les semaines, mais ils ne peuvent y répondre. En effet, il est impossible de déterminer quel serait le chien idéal pour chaque futur propriétaire. Des programmes informatiques vous proposent des solutions. Je les ai essayés et le chien idéal pour moi ne me plaisait pas du tout ! Le chien doit avant tout vous plaire. Pour s'engager dans une relation de 10 à 15 ans, autant que ce soit avec un être qui vous soit sympathique ! C'est comme un mariage, on prend le chien avec ses qualités et ses défauts, mais on divorce difficilement. Oublions donc ces programmes de sélection pour revenir à des points concrets.

Quel type de chien aimez-vous ? Quelle esthétique ? Quelle taille ? Quel poids ? Quel type de pelage et quelle longueur de poil ? Quel est votre mode de vie ? Quel est votre lieu de vie, votre biotope ?

À partir de ces quelques données, vous pourrez faire une recherche de race précise – si vous désirez un chien de race – ou vous pouvez vous mettre à la recherche du bâtard de vos rêves.

Quel type de chien aimez-vous ?

Quelle esthétique ?

Vous avez le choix entre toutes les esthétiques, des longilignes aux brévilignes (courts sur pattes), entre les fins et les massifs, entre les faces courtes et les faces allongées…

Longilignes : allongés, filiformes	Lévriers (lévrier afghan, lévrier anglais [greyhound], lévrier persan [saluki], lévrier russe [barzoï], whippet, etc.)
Médiolignes : médians, ni longs ni massifs	Chiens de berger (bergers belges, berger allemand, berger des Shetland [sheltie], colley, beauceron, etc.) Chiens de chasse courants (ariégeois, beagle, foxhound, petit bleu de Gascogne, etc.) Chiens d'arrêt (braque allemand, drahthaar, épagneul breton, griffon d'arrêt, pointer, setter anglais, etc.) Chiens rapporteurs de gibier (golden retriever, labrador, etc.)
Brévilignes : ramassés, trapus	Amstaff, boxer, bullmastiff, mâtin napolitain, mastiff, pit-bull, rottweiler, etc. Chiens de montagne (bouvier bernois, léonberg, terre-neuve, etc.)
Courts sur pattes	Bassets, bichons, bouledogues, teckels, terriers de petite taille (cairn terrier, fox-terrier, boston terrier, etc.) pékinois, etc.
Hauts sur pattes	Lévriers, dogue allemand (danois), dogue argentin, etc.

Quelle tête ?

La tête est composée du crâne et de la face. Entre les deux, juste au niveau de l'intersection du nez et des yeux, se trouve le stop qui donne des caractéristiques particulières au profil.

	Tête lupoïde – en forme de tête de loup – s'inscrivant dans une pyramide, stop marqué à angle ouvert.	Chiens de berger, spitz, akita inu, husky, chow-chow, malamute, tous les chiens dits primitifs (basenji, etc.)
	Tête bracoïde – en forme de tête de braque – s'inscrivant dans un prisme, stop marqué à angle droit.	Braques, chiens courants (bleu de Gascogne, harrier, porcelaine, etc.), retrievers, dalmatien, pointer, etc.
	Face semi-courte s'inscrivant dans un rectangle, tête massive et sphérique, stop très marqué à angle fermé (moins de 90°).	Amstaff, chihuahua, dogue argentin, pit-bull, etc.
	Face courte, « écrasée », s'inscrivant dans un cube, stop très marqué (moins de 90°) donnant un profil concave, tête massive et sphérique.	Bouledogues, boxer, carlin, dogue de Bordeaux, lhassa apso, mastiff, pékinois, shih-tzu, etc.
	Tête allongée, en forme de cône à profil rectiligne, quasiment sans stop (ou stop à angle très ouvert, près de 180°).	Teckels, lévriers, colley
	Tête busquée, à profil convexe, absence totale de stop.	Bedlington, bull-terrier

Quelle taille ?

Vous pouvez choisir entre des chiens miniatures et des géants. Voici quelques exemples.

Miniatures	Caniche nain, chihuahua, loulou de Poméranie, teckel nain, etc.
Petits	Bichons, teckels, plusieurs terriers (cairn, westie, scottish, Jack Russell, etc.), caniche moyen, carlin, épagneul King Charles, griffon bruxellois, sheltie, etc.
Moyens	Cockers, basset artésien-normand, beagle, berger des Pyrénées, épagneul breton, fox-terrier, welsh terrier, etc.
Moyens à grands	Bergers belges, braques, setters, airedale, basset hound, grand caniche, colley, dalmatien, doberman, épagneul français, golden retriever, husky de Sibérie, labrador, etc.
Grands	Berger allemand, berger de Brie (briard), bobtail, bouvier des Flandres, malamute, rottweiler, schnauzer géant, etc.
Très grands	Chiens de montagne (bouvier bernois, léonberg, saint-bernard, etc.), bullmastiff, terre-neuve, etc.
Géants	Dogue allemand (danois), lévrier irlandais, etc.

Quel poids ?

Le poids va généralement de pair avec la taille, sauf pour les chiens très élancés et les chiens courts sur pattes.

Le poids est une donnée très importante dans le choix d'un chien. On confond trop souvent la masse et le poids. Quand on parle de kilos, on parle de masse. Le poids est la masse multipliée par la vitesse. Prenons l'exemple de la marche en laisse. Si un chien de 20 kg s'élance, il peut atteindre, au bout de la laisse, une vitesse de 20 km/h, soit environ 5 m/s; il vous faudra alors une force de 100 kg juste pour le retenir. C'est la masse multipliée par la vitesse. Autant dire qu'il faut être fort ou rapide, car un simple geste de traction du bras y suffirait-il? Si votre bras pesait 5 kg, il vous faudrait une vitesse de traction de 100 km/h pour compenser.

La puissance musculaire d'un chien est telle qu'en quelques mètres, son accélération le mène à 20 km/h, voire 40 km/h. À 20 km/h, le poids du chien est multiplié par 5,5 et à 40 km/h, il est multiplié par 11. Alors imaginez un chien de 45 kg promené avec une laisse extensible (laisse à rallonge), qui voit un stimulus activateur de son excitation (un chat, un écureuil) ou de son agressivité (une victime potentielle), et qui se lance pour attaquer. En bout de laisse, après un démarrage et 5 m de course, il a un poids estimé entre 225 et 495 kg. Avec ce poids, on aurait beau être très costaud et mettre la laisse sous le pied, on s'envolerait ! On comprend mieux pourquoi, dans un tel contexte, certaines personnes enroulent la laisse autour d'un arbre pour contrôler leur chien.

En l'absence d'autorité (liée au statut hiérarchique et à l'affirmation de soi) sur le chien, j'estime qu'un être humain aura des difficultés physiques et musculaires à maîtriser un chien agressif qui fait plus d'un cinquième à un quart de sa propre masse. Cette estimation subjective est basée sur mon expérience clinique, sur les armes du chien (ses canines) et sur le fait que le chien est un prédateur de proies plus grosses que lui (un chien de 20 kg peut tuer une proie de 80 à 100 kg).

De nombreux chiens se contrôlent très bien, on peut les manipuler sans problème. Mais si le chien que vous choisissez fait le même poids que vous et s'il est athlétique, puissant, impulsif et chasseur, imaginez ce qui se passera s'il démarre au quart de tour et si vous êtes à l'autre bout de la laisse !

Quel type de pelage et quelle longueur de poils ?

Vous trouverez des chiens à poil court, à poil long, à poil dur et dru, à poil laineux et même sans poil. Quand vous choisissez un chien à pelage long, pensez à l'endroit où vous habitez, aux températures d'hiver et d'été, aux précipitations de pluie ou de neige (celle-ci s'accumule entre les coussinets).

Le pelage agit comme un isolant, autant contre le froid que contre la chaleur. Le chien ne transpire pas par la peau, seulement par les coussinets. En cas de grosse chaleur, il régule sa température en haletant. Lors d'un été bien chaud, pour faciliter l'élimination de la chaleur, il est préférable de mouiller le poil. L'eau, pour s'évaporer, utilise une bonne quantité de calories, ce qui facilite la régulation de la température. Dès lors, même un chien à poil long ou dru peut survivre aux grosses chaleurs, s'il a beaucoup d'eau à sa disposition tant pour boire que pour s'y coucher.

Si votre région a un climat pluvieux, sachez que les chiens à poil long et avec des pattes velues ramassent de grandes quantités d'eau et de boue qu'ils déposeront éventuellement sur vos planchers. Prévoyez alors une pièce où il pourra se sécher avant de réintégrer le salon.

Tous les chiens perdent leurs poils sauf le caniche, le bichon et certains chiens de terrier. On devrait tondre les caniches et les bichons frisés toutes les six à huit semaines et «trimer» (arracher et couper le poil avec un peigne à trimer) tous les terriers et tous les chiens à poil dur.

Les chiens à poil long nécessitent plus de brossage et de démêlage que les chiens à poil court. Voici quelques exemples connus

Poil	Race
Absent	Chiens nus
Très court	Chiens courants (beagle-harrier, fox-hound, grand bleu de Gascogne, etc.), braques, bouledogues, amstaff, boxer, chihuahua, doberman, fox-terrier à poil court, lévrier anglais, mastiff, pinscher, pit-bull, pointer, rhodesian ridgeback, rottweiler, teckel à poil ras, tosa, whippet, etc.
Court à mi-long	Berger allemand, berger de Beauce (beauceron), cairn terrier, épagneul breton, hovawart, husky de Sibérie, labrador, etc.
Mi-long à long	Barzoï (lévrier russe, cavalier King Charles, chien de montagne des Pyrénées, chow-chow, cocker spaniel anglais, flat-coated retriever, golden retriever, léonberg, lévrier irlandais, saint-bernard, samoyède, setter irlandais, skye terrier, springer anglais, teckel à poil long, terre-neuve, etc.
Très long	Berger de Brie (briard), bichon havanais, bichon maltais, bobtail, cocker américain, komondor, lévrier afghan, yorkshire terrier, etc.
Bouclé	Bichon frisé, caniche, chien d'eau irlandais, curly-coated retriever, puli, etc.

Dur	Griffons (griffon fauve de Bretagne, griffon nivernais, korthals, etc.), plusieurs terriers (fox à poil dur, welsh, airedale, kerry blue, etc.), berger hollandais, drahthaar, teckel à poil dur, etc.
Piquant	Shar-peï

Quel est votre milieu de vie, votre biotope ?

Votre environnement influencera le mode de vie de votre chien. Vous imaginez-vous vivre avec un mastiff de 90 kg au quinzième étage, dans un appartement de 40 m^2 ? Oui ? Imaginez que le chien souffre – occasionnellement – de diarrhée. Est-ce encore imaginable ?

Si vous avez un accès régulier, voire quotidien, à de grands espaces où votre chien peut courir librement – la campagne, la plage, un grand parc – n'hésitez pas à choisir un chien sportif, un lévrier, un berger, un bouvier, un braque, un chien de chasse, etc.

Si votre biotope se limite à quelques mètres carrés d'herbe entourés par des tonnes de béton, vous aurez peut-être intérêt à choisir un chien peu encombrant. Ce n'est pas tant le besoin d'espace de délassement et d'activité qui posera problème, mais la nécessité de ramasser les excréments, comme c'est désormais obligatoire dans de nombreux endroits.

Vous aimez l'eau, certains chiens aussi, comme le labrador, le terre-neuve, le retriever, le caniche (chien de chasse au canard), le chien d'eau irlandais, pour n'en citer que quelques-uns. Ils plongeront dans les rivières, nageront en mer, sauteront dans la piscine.

Un chien prend de la place dans un logement. Pour faire une comparaison, disons qu'un chien prend la place d'un être humain de petite ou de grande taille. À poids équivalent, un chien a un métabolisme près de deux fois plus actif que celui d'un humain ; sa dépense en énergie, le rejet d'eau sous forme de vapeur par la respiration et donc son besoin d'espace sont le double de ceux d'un être humain. Il faut y ajouter ses besoins de mouvement. Un chien de race géante n'a pas besoin de bouger autant qu'un chien de petite race. Un Jack Russell sera généralement plus actif qu'un saint-bernard. Mais prenez garde à vous si vous adoptez un saint-bernard hyperactif pour vivre dans un petit appartement !

Quel est votre mode de vie ?

Cette question est essentielle. Êtes-vous sédentaire ou actif? Êtes-vous sportif? Êtes-vous bohème ou casanier? Voyagez-vous? Êtes-vous ordonné (méticuleux) ou négligé? Disposez-vous de temps libres ou êtes-vous très occupé?

Mode de vie	Chiens déconseillés	Chiens conseillés
Sédentaire, casanier	Chiens de berger et chiens de bouvier, chiens de chasse, terriers, husky, etc.	Chiens de race géante, chiens miniatures, etc.
Actif, sportif	Chiens de race géante, chiens miniatures, etc.	Chiens de berger et chiens de bouvier, chiens de chasse, terriers, border colley, husky de Sibérie, etc.
Méticuleux	Chiens à babines pendantes (dogues, races géantes), terriers (Jack Russell)	Bichons, caniches, chiens cairn, scottish, etc.) à poil dur, chiens miniatures, etc.
Négligé	Aucun	Tous
Disponible	Aucun	Tous
Très occupé	Tous	Chiens en peluche
Professionnel (carrières concernant la sécurité)	Chiens de chasse, chiens nains, géants	Chiens de berger et chiens de bouvier, mais bien dressés

Quelle est votre personnalité ?

Je ne désire pas faire ici l'étude de votre personnalité, mais vous donner quelques conseils avec le sourire. Vous pourrez ainsi choisir un chien en fonction de votre caractère.

PERSONNALITÉ, CARACTÈRE	CHIENS DÉCONSEILLÉS	CHIENS CONSEILLÉS
Intolérant au bruit	Tous, particulièrement les terriers, les chiens de berger, les chiens de bouvier, les chiens de chasse courants mal élevés	Chiens en peluche ou un chien bien éduqué, basenji
Très classe, très mondain	Bâtards, chiens de berger, terriers, etc.	Lévriers (levrette d'Italie, lévrier afghan, lévrier persan [saluki], etc.), bichon maltais, caniche toiletté en lion, cocker américain, komondor, lhassa apso, shih-tzu, etc.
Mélancolique, émotif	Chiens jeunes	Chiens âgés
Sanguin, sociable, bon vivant	Lévriers, terriers, etc.	Bouledogues, dogues, teckels, etc.
Colérique, irritable, susceptible, agressif, téméraire	Chiens nains, hounds, lévriers, retrievers, etc.	Bergers belges, braques, pointers, terriers (Jack Russell, scottish, westie, yorkshire, etc.), amstaff, berger allemand, boxer, pit-bull, etc.
Lymphatique, flegmatique, calme, stable	Bergers belges, braques, pointers, terriers (Jack Russell, scottish, westie, yorkshire, etc.), amstaff, berger allemand, boxer, pit-bull, etc.	Chiens de race géante, chiens nains, retrievers
Introverti	Tous	Aucun : prendre plûtot un chat
Extraverti	Aucun	Tous

Dominant, autoritaire	Chiennes, retrievers, etc.	Chiens de berger, chiens de bouvier, chiens mâles, terriers, etc.
Impatient	Chiens âgés, chiens jeunes	Chiens déjà éduqués

La race

Type morphologique ou personnalité de race ?

Je vais immédiatement couper court à toute discussion sur la personnalité de telle ou telle race de chien. Les standards de race insistent beaucoup plus sur la morphologie que sur le tempérament. Et il n'existe aucune relation génétique entre morphologie et tempérament. Par ailleurs, aucune étude scientifique n'a été réalisée sur le tempérament des races. Dès lors, tout ce que l'on raconte sur la personnalité de chaque race est empirique et varie en fonction de l'expérience de chacun.

Les juges de race rencontrent des chiens d'exposition. Ceux-ci sont-ils représentatifs de la race? Oui en ce qui concerne l'esthétique et non quant à leurs comportements.

Les vétérinaires rencontrent des chiens sains et des chiens malades. Ces derniers sont-ils représentatifs de la race? Sans doute, car il s'agit d'un échantillon aléatoire. Mais peu de vétérinaires ont publié leurs constatations cliniques sur les comportements des chiens examinés.

Les vétérinaires comportementalistes soignent en général des chiens aux comportements anormaux, pathologiques ou, au minimum, problématiques. Ces chiens sont-ils représentatifs de la race? Certainement pas, car ce n'est qu'un échantillon déformé de la réalité.

Les éducateurs rencontrent des chiens en grand nombre. Mais moins de 10% des chiens voient un éducateur, et cet échantillon est lui aussi discutable, car il s'agit de chiens appartenant à des propriétaires désireux de bien éduquer leur chien ou de corriger des problèmes comportementaux.

Si on se penche sur l'histoire des races, on verra qu'elles ont été sélectionnées dans un but bien précis: chien éboueur (à l'origine), chien de guerre, chien de combat, chien policier, chien de chasse, chien d'eau, chien de rapport, chien d'arrêt, chien courant, chien de terrier, chien ratier, chien truffier, chien de berger, chien bouvier, chien de boucherie, etc. À partir de ces catégories, on a développé toutes les races actuelles, parmi lesquelles on a sélectionné le chien d'aide aux invalides, le chien de décombres, le chien d'avalanche, le chien douanier, le chien d'*agility*, le chien thérapeute, le chien détecteur de cancer, etc. Un ancien chien de rapport ou de berger peut devenir un chien d'aide.

Les races ont changé et l'esthétique aussi, mais le chien reste finalement un chien, quelle que soit sa race. Enfin, comme toute caractéristique est façonnée par la génétique et l'environnement (dont l'éducation), une caractéristique comportementale est généralement quantifiable. En d'autres mots, on peut la classer dans différentes catégories comme «pas du tout, un peu, moyennement, beaucoup.». C'est le cas de l'agressivité, de l'anxiété, de la nervosité, de l'obéissance, de la dominance, etc.

En fin de compte, je tiens à confirmer qu'une personnalité de race n'existe pas. Choisissez la race ou le bâtard qui comblera vos désirs, ensuite, je vous donnerai les éléments pour choisir le chien de vos rêves, quelle que soit sa race.

La classification des races

On classe les races en 10 groupes.

1er groupe: chiens de berger et de bouvier (sauf chiens de bouvier suisses)

2e groupe: chiens de type pinscher et schnauzer, molossoïdes et chiens de montagne et de bouvier suisses

3e groupe: terriers

4e groupe: teckels

5e groupe: chiens de type spitz et de type primitif

6e groupe: chiens courants et chiens de recherche au sang

7e groupe: chiens d'arrêt

8e groupe: chiens rapporteurs de gibier, chiens leveurs de gibier et chiens d'eau

9e groupe : chiens d'agrément et de compagnie
10e groupe : lévriers

Les races les plus populaires

Pour chaque groupe, je vous donne une liste des races les plus populaires.

1er GROUPE	BERGERS, BOUVIERS Berger allemand, bergers belges, berger de Beauce (beauceron), berger de Brie (briard), berger des Pyrénées, berger des Shetland (sheltie), bouvier, bobtail, border collie, bouvier des Flandres, colley, colley barbu (bearded collie)
2e GROUPE	PINSCHER, SCHNAUZER MOLOSSOÏDES, BOUVIERS SUISSES Bouvier bernois, boxer, chien de montagne des Pyrénées, doberman, dogue allemand, léonberg, rottweiler, schnauzer
3e GROUPE	TERRIERS Airedale, amstaff, cairn terrier, fox-terrier, Jack Russell terrier, jagdterrier, scottish terrier, welsh terrier, westie
4e GROUPE	TECKELS Teckel à poil long, teckel à poil ras, teckel à poil dur
5e GROUPE	SPITZ ET PRIMITIFS Akita inu, chow-chow, eurasier, husky de Sibérie, malamute, samoyède, spitz
6e GROUPE	CHIENS COURANTS Ariégeois, basset artésien-normand, basset bleu de Gascogne, basset fauve de Bretagne, basset hound, beagle, beagle-harrier, bruno du Jura, griffon bleu de Gascogne, griffon fauve de Bretagne, griffon nivernais, petit bleu de Gascogne, porcelaine

7e GROUPE	CHIENS D'ARRÊT Braque allemand, braque d'Auvergne, braque de Weimar, braque français, drahthaar, épagneul breton, épagneul français, korthais (griffon d'arrêt à poil dur), pointer, setter anglais, setter gordon, setter irlandais
8e GROUPE	RAPPORTEURS DE GIBIER, LEVEURS DE GIBIER, CHIENS D'EAU Cocker américain, cocker spaniel anglais, flat-coated retriever, golden retriever, labrador retriever, springer anglais
9e GROUPE	CHIENS D'AGRÉMENT ET DE COMPAGNIE Bichon frisé, bichon maltais, bouledogue français, caniche, carlin, cavalier King Charles, chihuahua, coton de Tuléar, dalmatien, épagneul papillon, lhassa apso, pékinois, shih-tzu, terrier tibétain
10e GROUPE	LÉVRIERS Levrette d'Italie, lévrier afghan, lévrier anglais, azawakh, lévrier irlandais, lévrier persan (saluki), lévrier russe (barzoï), lévrier arabe (sloughi), whippet

Comment choisir une race ?

Pour choisir une race, consultez un atlas des races de chiens. Il présente chaque race en couleur avec les différentes tailles, robes et caractéristiques morphologiques.

L'idéal est de voir le chien « en vrai », de le côtoyer, de le voir en mouvement. Bien entendu, voir un chien ne donne pas une bonne idée de la race, mais c'est mieux que rien. Vivre avec un chien pendant 10 à 15 ans ne vous donnera pas non plus une bonne idée de la race. Pour y arriver, il faudrait voir des dizaines de chiens de la même race. Ce que vous pouvez obtenir en côtoyant un chien, c'est une bonne idée générale de son apparence. Les standards de race, soit les descriptions des caractéristiques morphologiques de cette race, sont assez précis et un chien de race doit correspondre à son standard. Pour un chien bâtard, rien n'est prévisible, si ce n'est qu'il devrait ressembler plus ou moins à un croisement des caractéristiques morphologiques de son père et de sa mère, mais avec parfois des surprises.

Les races et leur histoire

Les races d'aujourd'hui ont-elles encore quelque chose à voir avec les races anciennes? De nombreuses générations ont vu le jour depuis que les caniches chassaient le canard et depuis que le shar-peï concourait dans des combats de chiens en Chine. Que reste-t-il de la génétique de ces chiens ancestraux sélectionnés pour un travail précis? Sans doute en reste-t-il quelque chose. Le rottweiler descend des chiens de guerre romains. Le saint-bernard est un ancien chien de bouvier suisse. Les chiens de montagne sont d'anciens chiens de berger ou de bouvier qui protégeaient les troupeaux contre les loups et les maraudeurs. Le fox-terrier était chasseur de renard. Qui chasse encore avec un lévrier dans nos contrées? Voici quelques indications concernant le travail effectué par les chiens des diverses races.

Boucherie (anciennement et parfois encore aujourd'hui)	Chow-chow, etc.
Chasse à vue	Lévriers
Combat contre chien, taureau… (interdit actuellement)	Bergers, bouledogues, amstaff, mastiff, pit-bull, shar-peï, etc.
Compagnie, chien de manchon	Bichons, lhassa apso, shih-tzu, etc.
Cuisine (tourneur de broche)	Saint-bernard
Guerre (dans l'Antiquité)	Ancêtres des bouviers, chiens molossoïdes, mâtins, mastiff, etc.
Rapporteur de gibier d'eau	Caniches, retrievers (labrador, etc.), etc.
Trait de chariot	Bouvier bernois, bouvier des Flandres, etc.
Transport de seaux (lait…)	Bouviers suisses, etc.

Les races et leur travail

Se pencher sur les performances d'une race ou du moins se demander dans quel travail, dans quelle branche excellent certains individus permet de prévoir les qualités du chien. Cela ne veut pas dire que l'animal sera excellent dans cette discipline, mais cela vous donnera une idée de son potentiel. Par exemple, vous ne choisirez pas un chihuahua pour faire du mordant ni pour tirer un traîneau, et vous n'adopterez pas un saint-bernard comme chien de manchon! Voici quelques indications supplémentaires.

Agility, sport	Bergers belges (groenendael, laekenois, malinois, tervueren), border collie, colley barbu, etc.
Alarme	Chiens de berger (belges, allemand, australien, de Beauce (beauceron), de Brie (briard), des Pyrénées, etc.) Teckels (à poil ras, à poil long, à poil dur) Terriers (kerry blue, cairn, scottish, yorkshire, Jack Russell, West Highland white, etc.) Bouvier des Flandres
Assistance pour handicapés moteurs, malentendants et sourds, malvoyants et aveugles	Chiens de berger, chiens de bouvier, retrievers (golden, labrador, etc.)
Avalanche	Chiens de berger, chiens de bouvier, retrievers, etc.
Berger (troupeaux de moutons)	Chiens de berger
Bouvier	Chiens de bouvier
Chasse (chiens courants)	6ᵉ groupe – Ariégeois, basset hound, beagle, bruno du Jura, chien de loutre (otterhound), foxhound, grand bleu de Gascogne, griffon fauve de Bretagne, harrier, sabuesco (chien courant espagnol), saint-hubert, etc.

Chasse en terrier et broussailles	Teckels, terriers
Chasse et arrêt	7e groupe – Braques (allemand, d'Auvergne, de Weimar, espagnol, français, hongrois, italien, etc.), épagneuls (bleu de Picardie, breton, français, picard, etc.), griffons (à poil dur, à poil laineux), setters (anglais, gordon, irlandais), pointer, etc.
Cinéma et publicité	Amstaff, basset hound, bâtard, bull-terrier, chihuahua, colley, dalmatien, lévriers, saint-bernard, etc.
Cirque (cabaret, théâtre)	Bichons (frisé, maltais, etc.), caniches (miniature, nain, moyen, grand)
Compagnie	Tous
Course	Lévriers (lévrier anglais, lévrier écossais, lévrier espagnol, lévrier irlandais, lévrier persan, etc.)
Décombres	Chiens de berger, chiens de bouvier, retrievers, etc.
Défense	Chiens de berger, chiens de bouvier
Douane (aliments, semences, etc.)	Beagle, cocker, etc.
Drogue et explosifs (dépistage)	Chiens de chasse, chiens de berger, etc.
Garde de locaux et alarme	Chiens de berger, chiens de bouvier, doberman, mastiff, rhodesian ridgeback, rottweiler, schnauzer, etc.
Garde de troupeaux	Chiens de berger, chiens de bouvier
Police (intervention)	Chiens de berger, chiens de bouvier
Police (patrouille)	Chiens de berger, chiens de bouvier, etc.
Rapporteur de gibier d'eau	Retrievers (chesapeake bay, golden, labrador, etc.)

Ratiers, destruction des rats	Terriers
Ring, sport de mordant sous contrôle*	Chiens de berger, chiens de bouvier
Sauvetage en mer	Terre-neuve
Thérapeute	Tous, après une éducation appropriée
Traîneau	Husky de Sibérie, malamute
Truffier (recherche de truffes)	Tous les chiens à nez fin (chiens de berger, chiens de chasse tels que beagle, cocker, etc.)

* Le chien doit attaquer un dresseur revêtu de protections.

Le QI d'une race ?

Si vous avez lu mon livre depuis le début, vous savez que je ne crois pas en la supposée personnalité d'une race. Je crois encore moins à son intelligence. Comme si les chiens d'une race pouvaient être plus ou moins intelligents que ceux d'une autre! Chez moi, c'est une question d'éthique. Imaginez que vous fassiez passer un test de quotient intellectuel (Q.I.) en français à un aborigène australien? Combien aurait-il par rapport à vous? Qui «serait le plus intelligent»? Et si, maintenant, on donnait à chacun de vous un boomerang et si on vous laissait 10 jours dans le bush australien, que se passerait-il? Qui s'en tirerait le mieux et montrerait le plus d'intelligence pratique?

Stanley Coren, psychologue et dresseur canadien, a classé les chiens par ordre d'intelligence dans des tests de travail et d'obéissance. Le classement a été réalisé après enquête auprès de juges d'obéissance dans la région de Vancouver. Quel est l'intérêt de cette liste? Elle est intéressante parce que:

- en théorie, elle existe et qu'il n'y en a pas d'autre;
- en pratique, si vous désirez exceller en obéissance, vous avez une plus grande probabilité de réussir en choisissant un des chiens de cette liste;

- en sociologie, cela donne une bonne idée de la compréhension des juges à propos de l'intelligence des chiens des diverses races dans la région de Vancouver!

À partir de la liste de Coren, qui propose un classement hiérarchisé de 135 races de chiens, j'ai préféré grouper les races en quatre catégories et, dans chaque catégorie, j'ai reclassé les races par ordre alphabétique.

- Les meilleurs.
- Les moyens.
- Les passables.
- Les plus difficiles, les chiens à qui il faut le plus souvent répéter les ordres.

Les meilleurs

Affenpinscher	Airedale	American staffordshire terrier	Berger allemand
Berger des Shetland	Border collie	Border terrier	Bouvier australien
Bouvier bernois	Bouvier des Flandres	Braque allemand	Braque de Weimar
Briard ou berger de Brie	Cairn terrier	Caniche	Cheasapeake bay retriever
Chien d'eau irlandais	Chien d'eau portugais	Chien du pharaon	Clumber spaniel
Cocker américain	Cocker spaniel anglais	Colley barbu	Dalmatien
Doberman	Elkhound	Épagneul breton	Épagneul papillon
Field spaniel	Flat-coated retriever	Golden retriever	Groenendael
Kerry blue terrier	Labrador	Malinois	Manchester terrier
Norwich terrier	Pinscher nain	Puli	Rottweiler
Samoyède	Schipperke	Schnauzer géant	Schnauzer moyen
Schnauzer nain	Setter anglais	Setter gordon	Setter irlandais

Silky terrier	Spitz nain	Spitz loup	Springer anglais
Terre-neuve	Terrier australien	Tervueren	Vizsla
Welsh corgi cardigan	Welsh corgi pembroke	Welsh springer	Yorkshire terrier

Les moyens

Akita inu	Bedlington terrier	Bichon frisé	Black and tan coonhound
Boston terrier	Boxer	Cavalier King Charles	Chien d'eau américain
Chien de loutre	Curly-coated retriever	Dogue allemand (danois)	Drahthaar
Épagneul du Tibet	Épagneul King Charles	Fox-terrier à poil dur	Fox-terrier à poil lisse
Foxhound américain	Fox-hound anglais	Griffon d'arrêt à poil dur	Husky de Sibérie
Irish terrier	Kelpie	Kuvasz	Lévrier anglais
Lévrier écossais	Lévrier irlandais	Lévrier persan (saluki)	Malamute
Podenco Ibicenco	Pointer	Rhodesian ridgeback	Shar-peï
Softcoated wheaten terrier	Spitz finlandais	Staffordshire bull-terrier	Teckel
Welsh terrier	West Highland white terrier	Whippet	

Les passables

Bichon maltais	Bobtail	Bouledogue français	Bullmastiff
Bull-terrier	Carlin	Chien chinois à crête	Chien de montagne des Pyrénées

Chihuahua terrier	Dandie-dinmont	Épagneul japonais	Griffon bruxellois
Griffon vendéen	Lakeland terrier	Levrette d'Italie	Lhassa apso
Norfolk terrier	Saint-bernard	Scottish terrier	Sealyham terrier
Skye terrier	Terrier tibétain		

Les plus difficiles

Basenji	Basset hound	Beagle	Bouledogue anglais
Chow-chow	Lévrier russe (barzoï)	Lévrier afghan	Mastiff
Pékinois	Saint-hubert	Shih-tzu	

Les rôles contradictoires

Tous les chiens ont une vocation d'animal de compagnie. C'est entendu. Certains ont aussi une autre vocation. Mais peut-on faire un chien qui soit à la fois de garde et de compagnie? Le chien est-il capable de discerner amis et ennemis potentiels? J'ai des doutes à ce sujet. Et des centaines d'exemples ne me feront pas changer d'avis. Statistiquement, un chien de garde fait un mauvais chien de famille. Un chien d'alarme – qui prévient et laisse faire le travail de garde par son maître – peut faire un bon chien de famille, mais il se méfiera sans doute des gens qu'il connaît peu.

Un chien de chasse respectera-t-il votre chat (ou celui du voisin)? Probablement que non. Seule une socialisation poussée dans le jeune âge lui permettra d'être plus tolérant avec les chats dans la maison, mais à l'extérieur, il les pourchassera.

Des difficultés à choisir une race

En ne me basant que sur les renseignements précédents, j'aurais moi aussi bien des difficultés à choisir une race. Je choisirais donc une *esthétique* précise et personnelle et je considérerais d'autres éléments à mon avis plus fiables : le sexe du chien, le comportement des parents, le comportement des chiots de la portée, la socialisation, l'éducation. Sans oublier, bien sûr, de me faire guider par des experts tout au long de la vie de mon chien.

Mâle ou femelle?

Choisir un chien ou une chienne n'est pas sans importance, car il y a entre eux des différences de comportements.

Différences d'agréments et de désagréments

Il suffit de se promener dans la rue pour voir une différence sexuelle frappante entre un chien et une chienne: la chienne s'accroupit généralement pour uriner; le chien lève habituellement la patte.

On peut toutefois éliminer les désagréments associés aux caractérisques sexuelles grâce à la stérilisation ou la castration. La sexualité entraîne des différences comportementales entre le mâle et la femelle.

- La chienne est en chaleur (œstrus) deux fois par an: elle perd du sang par la vulve pendant 8 à 15 jours chaque fois. Elle attire les chiens mâles qui viennent uriner là où elle passe. Ils ont aussi tendance à la suivre en promenade, voire à se faufiler dans son jardin pour tenter de la saillir.
- Le chien est sexuellement disponible toute l'année; outre les comportements sexuels, de petites gouttes de liquide blanc ou vert peuvent suinter de son pénis.

L'éveil sexuel du chien

À la puberté, se manifestent les premiers signes de l'éveil des glandes sexuelles. Le chien mâle commence à lever la patte pour uriner, témoignage du besoin de faire sa marque (visuelle et olfactive) dans l'environnement et à exprimer ainsi sa disponibilité sexuelle, ainsi que son entrée dans la hiérarchie et la compétition sexuelle. Le chien est dès lors fertile, et cela en permanence, contrairement à ses ancêtres ou à ses cousins sauvages chez qui la production des spermatozoïdes était et reste saisonnière.

La fertilité permanente du chien s'exprime par un désir sexuel permanent.

Le cycle sexuel de la chienne

Chez la chienne, le comportement sexuel existe aussi, mais à un degré moindre. Les chaleurs se manifestent par un écoulement vaginal sanguin et un gonflement vulvaire parfois très important. La chienne agresse les mâles qui l'approchent, intéressés par l'odeur des phéromones. C'est le pro-œstrus. Vient ensuite l'œstrus ou la période de réceptivité; l'écoulement sanguin diminue ou s'arrête, et la chienne tolère les flirts, les encourage et accepte la monte et la pénétration. L'ovulation dure plusieurs jours. Ainsi, si la chienne a plusieurs partenaires sexuels en quelques jours, les chiots pourront avoir des pères différents. Ensemble, le pro-œstrus et l'œstrus durent en moyenne trois semaines. La répartition habituelle est de 10 jours pour chaque période, mais chaque chienne présente un cycle personnalisé.

Par la suite, vient le post-œstrus ou métœstrus, une période hormonale sous influence de l'hormone de grossesse, la progestérone. Si la saillie a été fécondante, cette période dure le temps de la gestation, soit deux mois. Dans le cas contraire, elle dure entre six semaines et trois mois. Que la chienne soit enceinte ou non, elle produit des hormones de grossesse (qui activent les sécrétions de l'utérus et préparent les mamelles à la lactation). C'est normal, car elle est en période de gestation ou en pseudogestation. En fin de métœstrus, le taux de progestérone décroît, l'hormone prolactine est sécrétée et les mamelles se gorgent de lait. La présence de lait est un processus normal, que la chienne ait mis bas ou non. Cette lactation n'est pas «nerveuse», comme on l'entend dire trop souvent, elle est hormonale. Dans une meute, c'est de cette façon que les chiennes n'ayant pas de chiots aident à nourrir les chiots de la chienne dominante.

Enfin, vient l'anœstrus qui dure jusqu'au prochain pré-œstrus. L'anœstrus est une période de repos sexuel, d'inactivité hormonale. Il dure entre deux et neuf mois, suivant la race et l'individu. Certaines chiennes ont un cycle tous les 6 mois (c'est le plus fréquent), d'autres tous les 8, 9, 10 ou 12 mois. Qu'importe? Ce qui compte, c'est que la durée entre les cycles soit toujours équivalente.

La stérilisation de la chienne

Le fait d'avoir des périodes hormonales de pseudogestation prédispose la chienne à différentes pathologies: le diabète, l'infection de la matrice, les tumeurs mammaires. On peut ajouter à cette liste les lactations de pseudogestation, non pathologiques mais gênantes. On peut éviter les tumeurs mammaires grâce à une stérilisation précoce, soit l'induction d'un état d'anœstrus par ablation des ovaires. Précoce signifie réellement tôt dans la vie sexuelle, soit aux environs de la puberté. Une stérilisation après l'âge de cinq ans semble sans effet préventif pour ce genre de problème.

Quel que soit l'âge, la stérilisation est une méthode efficace pour traiter ces affections, pour prévenir les pertes sanguines lors des chaleurs (œstrus) et pour réduire les manifestations agressives entre chiennes au moment des chaleurs.

La chienne vit des états d'anœstrus (absence d'hormones sexuelles) normaux pendant environ six à huit mois par an. Cette période ne s'accompagne pas de modifications comportementales notables. La stérilisation met la chienne dans cet état 12 mois par an. En revanche, l'injection d'hormones contraceptives (progestagènes, molécules dérivées de l'hormone de grossesse) provoque des états de métœstrus 12 mois par an. Le métœstrus, gestation ou pseudogestation, s'accompagne d'une augmentation de l'agressivité territoriale et d'une sensibilisation aux pathologies mentionnées plus haut. De plus, pendant cette période, les mamelles sont préparées à la lactation; l'injection d'un progestagène ne traitera pas une lactation de pseudogestation.

La meilleure contraception est donc la stérilisation. Pour une chienne d'élevage, on conseille d'éviter toute injection hormonale progestative; seule la continence sexuelle est valable. La section des trompes ou l'ablation de la matrice, tout en conservant un ou les deux ovaires, est une méthode contraceptive puisqu'elle empêche toute gestation, mais elle ne donne aucun des bénéfices cités; la chienne a toujours ses chaleurs et ses pertes sanguines, elle attire les mâles, etc.

La castration chez le mâle

La castration des chiens mâles reste un procédé assez rare en Europe, alors que c'est une intervention courante en Amérique du Nord.

La production hormonale des chiens mâles est continue, même si elle présente des oscillations journalières. Une première phase a lieu au moment de la naissance et les androgènes sont produits aussi par la glande surrénale, ce qui fait qu'un mâle reste toujours un mâle, castré ou non.

La castration, ou ablation testiculaire, a des effets comportementaux et physiologiques. La transformation des sucres en graisse est facilitée, d'où une tendance à l'obésité, aisément contrée par un régime approprié. La production de liquide séminal est limitée ainsi que les pertes involontaires que cela provoque (taches jaunes involontairement déposées par le chien mâle partout sur son passage).

Mais c'est surtout la pulsion sexuelle qui sera atténuée par la castration. Il y a donc diminution du vagabondage par attrait sexuel, des marquages urinaires et des agressions compétitives entre chiens mâles pour la présence de la chienne (en chaleur). On constate aussi une réduction de l'agression irritative (agression défensive modérée liée à la manipulation, à la douleur ou à la frustration) quand la castration est réalisée tôt.

La vasectomie est une bonne méthode contraceptive, mais elle n'a aucun effet comportemental, puisque les hormones sont toujours produites par les testicules. Dès lors, inutile d'espérer que la castration soit une panacée aux troubles comportementaux agressifs : castrer un chien ne corrigera pas les comportements agressifs, même si ceux-ci ont évolué à partir des changements hormonaux.

Pour tester si la procédure de castration est à envisager sur un chien adulte, on peut réaliser une castration chimique réversible.

Différences de comportement

Mâles et femelles n'ont pas les mêmes natures comportementales ni les mêmes tempéraments, que l'on parle d'humains ou de chiens. Il ne s'agit pas ici de différences entre une vision du monde synthétique (femme) ou analytique (homme), mais de différences beaucoup plus grossières et significatives sur le plan statistique ou des probabilités. Il est plus probable que :

- le chien soit plus agressif – en général – que la chienne ;
- la chienne soit plus craintive que le chien ;
- le chien soit plus en compétition que la chienne pour la dominance dans la famille ;
- le chien obéisse moins facilement que la chienne à une femme qui utilise des techniques d'autorité ;
- la chienne ait de meilleures relations sociales que le chien avec les enfants ;
- etc.

Les comportements sexuels et parentaux, et tous les comportements dépendants des hormones sont aussi différents. Je ne m'étendrai pas sur ce sujet mais j'insisterai sur la capacité du chien à être imprégné de plus d'une espèce. Je veux dire par là que le chien peut manifester des comportements sexuels envers les chiens, mais aussi envers les humains. Il peut :

- prendre le bras ou la jambe, et faire des mouvements de va-et-vient du bassin ;
- chevaucher enfants et adultes ;
- voler dans le panier à linge sale des sous-vêtements et les mâchouiller ;
- menacer la personne du même sexe quand elle s'approche de la personne du sexe opposé avec laquelle le chien (la chienne) fait alliance (ou couple) ou que l'animal a décidé de « s'approprier ».

Tous ces problèmes sont plus fréquents avec des chiens mâles.

En conclusion, comment choisir entre un chien ou une chienne ? En raison de la facilité des relations, je dirais : « Optez pour une femelle. » Elle donne plus de satisfaction et cause bien moins de désagréments que les chiens mâles.

L'achat d'un chien

Dès que votre décision d'acquérir un chien est prise, vous vous posez des questions comme : où se procurer un chien et quelle est la procédure à suivre ?

Où se procurer un chien ?

Vous pouvez acquérir un chiot, un chien jeune ou adulte par l'intermédiaire :

- d'amis, de membres de la famille ;
- de personnes dont la chienne a eu des chiots ;
- d'éleveurs amateurs qui recherchent l'amélioration de la race ;
- d'éleveurs professionnels qui produisent des chiens dans de grands élevages ;
- d'un magasin qui fait la distribution de chiens d'origines variées ;
- d'un refuge (SPA) qui tente de replacer des chiens dont un ancien propriétaire n'a plus voulu ou qui ont été saisis à la suite de mauvais soins.

Auparavant, il était possible d'acquérir un chien sur les foires, les marchés, les brocantes ou autres manifestations non spécifiquement consacrées aux animaux, mais la vente d'animaux y est désormais interdite (en Europe).

Chaque source a ses avantages et ses inconvénients. Mais en lisant le chapitre concernant la sélection, vous constaterez qu'il vaut mieux connaître l'origine du chien et ses parents, et sélectionner le chien en fonction de son tempérament, ce qui est malaisé dans un magasin ou dans un élevage industriel.

Le contrat d'acquisition

Qu'il s'agisse d'un achat ou d'un don, vous devenez propriétaire du chien. Vous en avez, suivant la loi, l'*usus* et l'*abusus*. Ce n'est pas le cas d'un chien de refuge (SPA) dont vous avez seulement l'usage, puisqu'il reste la propriété de la SPA.

Le chien est considéré par la loi comme un objet un peu particulier. Il est soumis aux lois de la cessation – ou transfert de propriété – d'objet, y compris les garanties d'usage ; cependant, l'animal a des droits et vous avez l'obligation de bien le traiter.

Les documents

Tout transfert de propriété d'un chien devrait être accompagné d'un contrat écrit précisant les termes de la convention, soit ce que vous obtenez, à quelles conditions, à quel prix et avec quelles garanties. Un contrat ne peut pas être restrictif sur les obligations légales. Outre le contrat, le chien devrait être délivré avec :

- une facture ou une attestation de cession ;
- un document d'information sur les caractéristiques, les besoins et les conseils éducatifs (optionnel) ;
- un carnet de vaccination mentionnant les vaccins inoculés, contresigné par un vétérinaire ;
- un certificat de bonne santé délivré par un vétérinaire (pour toute vente entre particuliers) ;
- une attestation d'appartenance à un livre généalogique ; le vendeur devrait aussi donner le délai pour obtenir le pedigree officiel (généralement plusieurs mois) ;
- une attestation d'identification du chien (numéro de tatouage ou puce électronique).

Une visite de contrôle chez le vétérinaire

Dès que vous êtes en possession de votre chien et de tous ses documents, présentez le chien à un vétérinaire afin qu'il détermine s'il est en bonne santé et ne souffre pas de «vices cachés». Généralement, vous disposez de deux jours ouvrables pour effectuer cette visite de contrôle.

Assurances

L'assurance responsabilité civile familiale (en Belgique) ou le contrat multirisque habitation (en France) englobe généralement les risques encourus aux tiers à cause du chien. Vérifiez bien votre contrat. Si l'animal n'est pas inclus, faites-le inscrire. Si la compagnie d'assurance refuse de couvrir le chien, changez de compagnie. Cette assurance est obligatoire en France pour les chiens de catégorie I ou II (voir l'annexe).

Il existe aussi des assurances maladie et accidents qui couvrent le chien en cas de consultation pour maladie ou accident, frais d'imagerie (radiographie, échographie) ou de chirurgie. Notez que la majorité de ces contrats d'assurance excluent les vaccinations et les soins préventifs, ainsi que les consultations chez un vétérinaire comportementaliste. Pour plus de renseignements, informez-vous auprès de votre vétérinaire et de votre assureur.

La sélection d'un chiot

Sélectionner un chiot est un sujet très important, que j'ai abordé dans *L'éducation du chien*. Je vous en donne ici quelques extraits essentiels.

Choisir ou laisser faire le hasard?

Beaucoup de gens choisissent un chiot sans effectuer le moindre test, confiant au hasard ou au destin la responsabilité de leur bonheur futur. Le chiot deviendra-t-il un chien équilibré, peureux, agressif, dépressif ou nerveux?

Chaque chiot a sa personnalité propre, qui découle partiellement de sa génétique, mais aussi des premières relations avec la mère et de l'éducation reçue. S'engager pour 10 à 15 ans de vie commune nécessite de prendre quelques précautions! C'est mon avis, mais si vous préférez laisser faire le hasard en choisissant à pile ou face, votre choix aura aussi sa valeur. J'essaie simplement de vous donner quelques conseils et quelques indices pour faire la meilleure adoption possible.

Les tests

Aucun test n'est définitif ni garanti. Différents tests ont été mis au point pour choisir un chiot qui s'intégrera harmonieusement dans la famille de ses propriétaires et qui s'acquittera du travail que l'on attend de lui, que ce soit en tant que chien de compagnie, chien de garde ou pour l'assistance aux personnes handicapées.

Tous les tests proposés sont indicatifs, mais aucun n'est définitif. Personne ne pourrait réaliser une expertise en se fondant sur ces tests. En fin de compte, n'hésitez pas à vous servir de votre intuition et, pour vous aider, lisez ce chapitre ainsi que mon livre, *L'éducation du chien,* avant de choisir un chiot.

À quel âge un chiot peut-il être adopté ?

Je vous recommande de choisir un chiot âgé de 7 ou 8 semaines pour des raisons diverses – non expliquées dans ce livre – telles que l'acquisition :

- de l'identification à l'espèce ;
- des rituels de soumission et d'apaisement grâce à l'éducation de la mère (ou d'un autre chien adulte) ;
- d'un début de détachement par rapport à la mère.

À 7 ou 8 semaines, la personnalité du chiot est déjà bien formée et il lui reste de quatre à six semaines pour s'adapter au mieux à son nouvel environnement (voir le chapitre sur la socialisation).

Je ne conseille à personne de prendre un chiot âgé de moins de 6 semaines. Si le milieu d'élevage enrichit le chiot (socialisation aux gens, habituation aux bruits, promenade dans des endroits fréquentés, etc.), un âge supérieur à 8 semaines est tout à fait acceptable. Il n'est cependant pas conseillé de prendre un chien de plus de 3 mois dans un élevage en milieu calme et sans enrichissement s'il doit habiter en ville par la suite. Cet élément fondamental vous est expliqué dans le chapitre sur la socialisation.

Quelques informations sur l'entourage proche du chiot

Vous trouverez ci-après une série d'éléments qui influent sur le comportement actuel et futur du chiot. Vous n'aurez sans doute pas la possibilité d'évaluer tous ces éléments lorsque vous choisirez votre chiot, mais qu'importe ? Vous prendrez votre décision en mettant toutes les chances de votre côté. Les éléments que vous devez prendre en considération sont les suivants:

- la sélection de l'éleveur;
- l'observation de l'élevage;
- l'observation de la mère;
- l'observation du père.

La sélection de l'éleveur

Vous devez rechercher chez l'éleveur les qualités suivantes (cette liste n'est pas exhaustive).

- Il tente d'aider l'acquéreur à déterminer si la race choisie constitue un choix adéquat.
- Il sélectionne l'acquéreur en fonction de critères relatifs à l'environnement, à la socialisation, au système familial, à la coopération, etc.
- Il tente d'évaluer les connaissances de l'acquéreur en matière de comportement du chien, de soins, etc.
- Il envisage la coopération de l'acquéreur dans l'information de tout trouble comportemental et physique observé afin de procéder à une sélection éclairée des géniteurs.
- Il évalue et sélectionne chaque chiot afin de proposer une intégration optimale dans la famille d'accueil.
- Il encourage l'acquéreur à exprimer ses désirs et il l'écoute, le conseille, voire même lui refuse la vente d'un chiot.
- Il assure le suivi auprès de tous les chiots qu'il a vendus.

L'évaluation de l'élevage

Cinq critères principaux entrent en ligne de compte dans l'évaluation d'un élevage. À chacun peut être attribuée une note de 0, 1 ou 2. Le total des points pour les cinq critères atteint un maximum de 10. L'élevage est-il évalué à 0 à 5 ou à 10 sur 10? Plus le chiffre est proche de 10, plus le chiot a des chances d'avoir une socialisation correcte.

	Critère	Valeur
1.	La propreté du chenil. Le souci d'une bonne hygiène dénote l'intérêt et l'amour des éleveurs pour les chiens.	
	Chenil très propre Chenil moyennement propre Chenil sale, mal entretenu	2 1 0
2.	L'emplacement du chenil par rapport à l'habitation. Idéalement, les chiots sont élevés dans la maison, au sein de la famille. Plus le chenil est isolé de l'habitation, moins les chiots ont de contacts sociaux avec les éleveurs.	
	Chiots élevés dans la maison, dans la cuisine, au milieu des gens Chiots élevés à l'écart, ayant peu de contacts avec les éleveurs Chiots élevés dans une annexe, ayant des contacts médiocres avec les éleveurs	2 0 1
3.	Le nombre et le sexe des personnes qui s'occupent des chiots. Plus ce nombre est élevé et plus les types humains sont diversifiés, plus les chiots seront socialisés à l'espèce humaine en général.	
	Le chiot est en contact avec des hommes, des femmes et des enfants qui le touchent Le chiot est en contact avec un seul type humain Le chiot est en contact avec au moins deux types humains : homme et femme, homme et enfant, femme et enfant, etc.	2 0 1
4.	La douceur dans les manipulations. On voit rapidement si l'éleveur prend soin avec amour des chiots ou si c'est pour lui une simple activité professionnelle. N'oublions pas que le chiot se nourrit d'amour autant que de compétence.	
	Manipulations délicates, douces, sans crier Manipulations indifférentes Manipulations dures, rudes, en criant contre les chiots ou les autres chiens	2 1 0

5.	La présence d'une pièce d'éveil, c'est-à-dire un endroit réunissant divers instruments d'enrichissement: radio, miroirs, jouets d'enfants colorés et bruyants, textures variées au sol, bruitages et stimuli divers.	
	La pièce d'éveil, ou pièce d'élevage, est propre et bien équipée La pièce d'élevage renferme quelques jouets Absence de stimulations quelconques: les chiots sont sur le béton ou le linoléum, sans jouets, sans stimuli.	2 1 0
	Total sur	10

Vous aurez constaté que le pedigree, le fait d'avoir des parents champions, n'a rien à voir avec notre petit test. C'est une faiblesse de cette évaluation, sans doute, mais je pense qu'avoir des parents illustres n'est pas un gage de qualité suffisant. La qualité de la descendance reste la seule garantie de la qualité des parents.

L'observation de la mère

La chienne est la première éducatrice. Évaluer la mère donne ainsi une première idée du comportement des chiots. Accordez 0, 1 ou 2 points à chacun des critères d'évaluation.

1.	La mère est-elle une chienne de famille ou de chenil?	
	Famille Chenil Un peu des deux	2 0 1
2.	La mère a-t-elle participé à des concours? Si oui, quels ont été ses résultats? Cela peut être important, selon votre désir d'avoir un chien esthétique (concours de beauté), de famille (obéissance), de sport (*agility*, pistage, rapport, chasse) ou de défense (mordant, défense).	
	Bons résultats Absence de concours ou mauvais résultats	2 0

3.	La mère est-elle présente parmi les chiots?	
	Absence Présence occasionnelle Présence quasi continue ou à volonté	0 1 2
4.	Quelle est l'attitude de la mère: a-t-elle des comportements positifs de curiosité, de sociabilité, de tolérance, de contrôle de soi, ou a-t-elle des comportements négatifs – aboiements excessifs, tentatives d'agression du visiteur, comportements d'évitement et de cachette – indicatifs d'un déséquilibre émotionnel?	
	Mère craintive et asociale Mère sociable qui se contrôle	0 2
5.	Comportements envers les chiots.	
	Mère intolérante qui les évite Mère tolérante et soucieuse de ses chiots	0 2
6.	Enseignement du rituel de soumission et des autocontrôles. La mère peut être remplacée par un autre chien adulte bon éducateur. Il faut rester longtemps pour observer, sans intervenir, l'adulte apprendre au chiot la posture couchée et le contrôle de ses mouvements. Cela se fait par une morsure contrôlée au cou et à la face – l'adulte se plaçant au-dessus du chiot comme pour l'écraser sous lui. Éventuellement, la mère se contente de grogner contre un chiot, qui rentre alors le cou et se met en position accroupie.	
	Enseignement adéquat Absence d'enseignement	2 0
7.	Appréciation subjective de l'ambiance qui règne entre les chiots, leur mère et les éleveurs.	
	Ambiance froide Ambiance chaleureuse	0 2
	Total sur	10

Si un critère est absent ou n'est pas observable, vous donnez la valeur 0. Faites le total. Quel score la mère a-t-elle obtenu?

L'observation du père

Le tempérament est en partie héréditaire. Ainsi, le tempérament du père peut influer sur celui de ses chiots. Lorsqu'on observe le père, il faut être attentif à la sociabilité, à la tolérance et à l'approche, au contact, aux caresses et à la présence de toute forme d'agressivité. Puisque le père est rarement dans le même élevage que la mère, il est souvent difficile de faire cette évaluation. Si le père a été filmé, le futur acquéreur peut regarder ce film pour s'en faire une idée.

Les multiples critères du choix d'un chiot

Une multitude de critères interviennent dans le choix d'un chiot:

- le sexe (voir le chapitre intitulé Mâle ou femelle?);
- l'esthétique (voir le chapitre intitulé La race);
- les tests de santé: à faire faire de toute façon par un vétérinaire;
- les tests de comportement.

Les tests marqués d'un point d'exclamation (!) sont à effectuer avec la plus grande prudence ou à éviter en cas de suspicion d'agression.

Les tests de santé (!)

Faites un examen rapide:

- des yeux: absence de rougeurs et d'écoulements;
- des mâchoires: bonne coaptation des dents;
- de l'abdomen: pas de hernie à l'ombilic;
- des organes génitaux: présence des deux testicules chez le mâle;

- des organes urinaires: le gland du pénis doit être visible sous peine de phimosis; le chiot ne doit pas laisser échapper de gouttes d'urine de façon involontaire;
- de la vitalité: le chiot doit être plein de vitalité, sauf s'il vient de se réveiller ou de manger.

Vous avez, suivant les lois de chaque pays, entre un et quelques jours pour présenter le chiot à un vétérinaire afin de procéder à un examen de contrôle et déceler les anomalies ou les troubles éventuels. Il est conseillé de le faire rapidement, avant de s'attacher au chiot. Il est plus difficile de rendre à l'éleveur un chiot avec lequel on a déjà créé un lien d'attachement.

Les tests de comportement

Le test comportemental idéal pour la sélection d'un chiot n'existant pas, voici quelques tests que vous pouvez réaliser vous-même avec facilité. Idéalement, vous verrez le chiot d'abord au milieu de la portée, puis isolé du groupe. S'il vous est présenté séparé de son groupe, vous perdrez énormément de renseignements utiles. Ce serait dommage.

Vous trouverez ci-après un test facile à réaliser. Il ne nécessite aucun outillage particulier: munissez-vous simplement de votre trousseau de clés, d'un foulard que le chiot peut mettre en gueule ou d'une corde à nœuds, et d'une petite balle colorée.

Vous vous dirigerez d'abord vers la portée des chiots et réaliserez quelques observations et manipulations. Ensuite, vous isolerez si possible le chiot dans un autre endroit pour poursuivre l'observation.

L'approche de la portée

Approchez-vous de la portée ou du chiot, s'il est isolé, en marchant normalement. Accroupissez-vous à un mètre de lui et émettez des appels à voix douce pour l'encourager à venir vers vous. Comment le chiot se comporte-t-il?

1. Il est prudent mais curieux et vient vers vous avec une posture décontractée, la queue haute et frétillante : rien à signaler.
2. Il court vers vous et saute sur vous, queue haute et frétillante, et mordille vos chaussures : ce chiot montrera peut-être plus tard des tendances dominantes.
3. Il court vers vous et empêche les autres chiots d'accéder à votre contact : ce chiot aura plus tard tendance à agresser les autres chiens.
4. Il est craintif et reste à distance, s'éloignant à votre approche, se mettant dans un coin avec une posture basse, la queue basse : risque de phobie ou d'anxiété.
5. Il réagit peu et est inexpressif : il y a risque de dépression et d'absence d'attachement.
6. Il est sans cesse en mouvement, jusqu'à une demi-heure à une heure durant ; il vient vers vous, va ailleurs, semble infatigable : chiot à tendances hyperactives.

Ma préférence irait au numéro :
1. pour un chien de compagnie ;
2. pour un chien sportif et un maître masculin ;
3. pour un chien de garde ou de professionnel ;
4. pour un chien exclusif qui sortira peu et ne s'attachera qu'à quelques personnes ;
5. pour les personnes âgées ;
6. pour un chien de sport, d'*agility*, un chien qui aura l'occasion de sortir plusieurs heures par jour.

N'hésitez pas à aller voir les chiots plusieurs fois et notez les modifications dans leurs réactions. Si le chiot est fatigué, s'il vient de manger ou, au contraire, s'il est affamé, son comportement peut être différent.

Testez les chiots un après l'autre et recommencez. Le test peut varier en fonction de l'imitation qu'un chiot peut faire des autres. Donnez à chacun des chances égales.

L'ordre hiérarchique dans le groupe de chiots

Tant que vous êtes en présence du groupe de chiots, vous pouvez tenter de déterminer s'il est régi par un ordre hiérarchique. Il vous suffit d'observer quel chiot attaque l'autre, lequel est toujours attaqué et tente de fuir, lequel emporte un biscuit (ou mieux, un os) que vous leur donnez (avec accord de l'éleveur).

Ne vous attendez pas à découvrir une hiérarchisation complète des chiots avec un dominant, un dominé, et tout un enchaînement linéaire de chiots entre les deux.

Si l'un des chiots vous semble commander tous les autres, les agressant, contrôlant leurs déplacements et leur volant jouets et aliments, demandez-vous si vous devez ou non l'acquérir. Ce chiot a une grande capacité d'affirmation de soi, il vous en faudra aussi une bonne dose pour le guider et le maîtriser. Ce genre de chien convient peut-être davantage à un propriétaire ou un éducateur qui a du savoir-faire.

Tests sensoriels

1. *Tact, toucher.* Caressez et grattez le chiot. Il devrait éprouver le plus grand plaisir. Pincez-lui gentiment la peau et regardez ses dents. Il devrait accepter la manipulation sans cri (attention à l'hypersensibilité à la douleur) et sans agressivité excessive.
2. *Audition.* En cachette du chiot, agitez votre trousseau de clés, froissez un papier ou faites claquer vos doigts, cela devrait intéresser le chiot.
   - L'absence de réaction signale peut-être un problème de surdité ou encore de désintérêt, marque de dépression.
   - Une fuite, un échappement, évoque un problème d'hypersensibilité au bruit, donc une possibilité de phobie ou d'anxiété.
   - Un sursaut suivi d'une exploration est une réaction normale.
   - L'absence de sursaut associée à une exploration du bruit est un signe de forte tolérance au bruit, probablement d'enrichissement psychomoteur du point de vue auditif.
3. *Audition* (suite). Toujours en cachette du chiot, faites claquer vos mains soudainement pour produire un bruit plus violent. Cet exercice peut servir de test de tolérance et d'imprégnation au bruit; en somme, il évalue la peur du bruit.
   - Absence de réaction d'évitement, investigation du bruit; le chiot vient directement vers vous. C'est une réaction d'intérêt sans crainte.
   - Une méfiance suivie de curiosité est la réaction recherchée.

- Un sursaut et une fuite sans retour indiquent que le chiot risque de rester craintif face aux bruits urbains.

4. *Vue*. Faites rouler une petite balle vivement colorée ou agitez un foulard coloré jaune, vert ou bleu (évitez le rouge puisque le chien est moins sensible à cette couleur). Le mouvement devrait attirer l'attention du chiot.

Réaction d'inhibition au pincement contrôlé (!)

La maman apprend à ses chiots l'autocontrôle en les pinçant ou en les mordant au niveau de la nuque, des oreilles ou de la face tout en se mettant au-dessus d'eux et en les forçant à se coucher. Faites de même en pinçant le chiot au niveau de la joue ou des oreilles, ou en entourant le nez de vos doigts tout en le forçant à s'immobiliser et à se coucher. Comment le chiot réagit-il?

1. Le chiot crie, pousse un «kaï», s'immobilise, se couche et reste couché tant que vous le tenez, s'ébroue et court après vous quand vous le lâchez. C'est la réaction espérée d'un chiot qui se contrôle correctement.
2. Le chiot crie, se couche, reste immobile et ne court pas après vous une fois libre, vous évitant plutôt. C'est une réaction de crainte aux manipulations.
3. Le chiot crie, se débat, n'accepte pas de se coucher, veut mordre et remue sans cesse en tous sens. Réaction dénotant l'absence d'autocontrôle et de tolérance aux manipulations d'inhibition par les adultes. Cette réaction est tolérée à 7 semaines mais n'est plus acceptable après 3 mois.
4. Le chiot crie, se débat, veut mordre, montre les dents, hurle, urine éventuellement, et reste ensuite à distance. Cette réaction est fréquente chez les chiots anxieux et agressifs (agression par peur).

Réaction à la contrainte (!)

Voici un test important et très facile à réaliser. Il suffit de mettre le chiot en *position de soumission,* couché sur le dos, maintenu par la peau de la nuque, *sans rien dire et sans le caresser.* Vous pouvez «grogner» comme le ferait la mère. Comment réagit-il?

1. Il se tend, se débat, puis accepte la position: chiot normal et équilibré recommandé pour une famille avec enfants.

2. Il se tend, se débat, mord et n'accepte pas votre contrainte : attention à un risque de dominance ; chiot à réserver à un propriétaire strict.
3. Il se laisse faire sans tension : chiot qui a tendance à se soumettre, recommandé pour des personnes âgées ou des personnes qui veulent gâter leur chien.
4. Il se débat, se tortille, mord, hurle, urine, défèque et ses pupilles sont dilatées : réaction de peur et d'intolérance à la contrainte ; attention, chien anxieux agressif.

Refaites le test. Plus vous le répéterez, plus le chiot devrait vous faire confiance.

Test d'élévation (!)

Ce test ne permet de tirer aucune conclusion sur le statut hiérarchique du chien, mais seulement sur sa tolérance à une certaine forme de manipulation : l'élévation. Vous prenez le chiot dans vos mains ou dans vos bras, et vous le soulevez du sol. Comment réagit-il ?

1. Il accepte la position et se laisse faire, relâchant son tonus : réaction d'acceptation.
2. Il se débat puis se détend après quelques dizaines de secondes : réaction normale.
3. Il se débat et on ne peut le calmer, il est très tonique, mais sans aucune agressivité : réaction typique du chiot qui n'a pas acquis tous ses autocontrôles. Il peut encore les apprendre s'il n'a que 7 semaines, il est urgent de les lui enseigner s'il a 3 mois.
4. Il se débat violemment, veut mordre et hurle, et sa réaction, loin de se calmer, ne fait que s'amplifier si vous le maintenez dans cette position : réaction d'intolérance, voire de crainte ou de peur à l'élévation. Chiot peu recommandé pour une famille avec enfants.

Test de mordant (!)

Provoquez le chiot avec un chiffon ou une corde à nœuds, jusqu'à ce qu'il le prenne en gueule et tire.

1. Il tire directement, grogne méchamment, retrousse les babines, présente une queue raide, refuse de lâcher : réaction excessive pour un bon chien de famille, trop d'ardeur à mordre, ce qui n'est compatible qu'avec un chien de travail éduqué par un professionnel.

2. Il tire et grogne mais sans retrousser les babines et tout en agitant la queue, puis se désintéresse du jeu ou accepte que vous repreniez le chiffon : bonne réaction pour un chien de famille.
3. Il renifle et/ou s'éloigne : bonne réaction pour un compagnon pour le troisième âge.

Répétez ce test si vous en avez l'occasion.

L'isolement d'un chiot

La détresse d'un chiot une fois isolé du groupe est révélatrice de son attachement à ses frères et sœurs, ou à sa mère. Dans ce cas, voyez si votre présence et votre comportement permettent de calmer ses cris de détresse ; si oui, c'est de bon augure pour un lien d'attachement éventuel avec vous.

Le chiot doit être isolé dans une pièce inconnue, avec vous et vos familiers.

1. Le chiot se retire dans un coin, se couche, est indifférent : risque d'absence d'attachement et de dépression.
2. Le chiot miaule, pleure, jappe et cherche à retrouver sa mère et la portée sans s'occuper de vous. La valeur de ce test dépend de l'âge du chiot. À 5 semaines, il est attiré par tout le monde. À partir de 7 semaines, il fait la différence et préfère sa mère ou ses frères et sœurs. Si vous parvenez à l'apaiser, c'est de bon augure pour un attachement futur à vous.
3. Le chiot jappe, aboie, hurle sa détresse, mais fuit absolument tout contact avec vous. Dans ce cas, je me poserais des questions sur son degré de socialisation. Il pourra éventuellement s'attacher à vous, mais pas toujours à l'ensemble de l'humanité.
4. Le chiot miaule et jappe un moment, puis s'apaise à votre contact et en entendant vos paroles douces. Son attachement ne posera pas de problème.

Test de rapport d'objet (!)

Si, après avoir attiré l'attention du chiot avec un jouet adapté à son âge, vous lancez l'objet à un ou deux mètres de distance, que fait-il ?

1. Il court derrière l'objet, le prend en gueule et vient vers vous à votre appel : réaction espérée pour un futur chien de rapport.
2. Il court derrière l'objet, l'explore, le prend en gueule puis l'abandonne : réaction attendue mais partielle d'un futur chien de rapport.
3. Il commence par courir derrière l'objet puis abandonne : réaction qui marque un manque d'intérêt. Ce chiot peut encore apprendre, mais le rapport ne fait peut-être pas partie de sa personnalité.
4. Il ne manifeste aucun intérêt pour l'objet, bien qu'il l'ait vu et que l'objet ait été lancé à quelque distance : on peut avoir des doutes sur ses performances futures dans le rapport d'objet.

Il faut faire ce test à plusieurs reprises, à des moments différents, parce qu'un chiot peut simplement être trop engourdi par la digestion ou trop endormi pour répondre avec punch à votre test.

En fin de compte...

Un chiot équilibré devrait être curieux et un peu méfiant, disons réservé – il ne se jettera pas dans les bras du premier venu – mais il devrait être capable de dépasser sa méfiance pour explorer l'inconnu. Certains chiots sont téméraires, n'ont peur de rien et agissent sans réfléchir. D'autres sont craintifs, refusent d'explorer et restent dans leur petit monde limité. Enfin, il faut éviter d'adopter un chiot qui présente des manifestations de peur et d'agressivité non contrôlée, il deviendra un chien à problèmes.

Tableau récapitulatif des tests comportementaux chez le chiot

1.	APPROCHE DE LA PORTÉE	SOCIABILITÉ
	Chiot prudent, curieux, décontracté, queue frétillante	Équilibré
	Chiot actif, tonique, queue frétillante, mordille	Tonique
	Chiot actif, agresse les autres chiots	Agressif
	Chiot craintif, reste à distance, s'éloigne à votre approche, posture basse	Craintif
	Chiot peu réactif, inexpressif	Hypotonique
	Chiot sans cesse en mouvement	Hyperactif
2.	ORDRE HIÉRARCHIQUE	ORDRE
	Chiot qui prend tous les objets sans que les autres lui contestent ce droit	Dominant
	Chiot qui perd tous les objets et abandonne sans conflit	Soumis
	Chiot qui gagne et perd alternativement	Équilibré
3.	TEST AUDITIF : AGITER UN TROUSSEAU DE CLÉS, FAIRE CLAQUER LES MAINS	TOLÉRANCE
	Absence totale de réaction	Sourd
	Fuite, échappement, maintien à distance	Peureux
	Sursaut suivi d'exploration	Équilibré
	Absence de sursaut, exploration du bruit	Équilibré
4.	INHIBITION AU PINCEMENT CONTRÔLÉ DE LA FACE	TOLÉRANCE
	Le chiot crie, s'immobilise, vient ensuite vers vous pour jouer	Équilibré
	Le chiot crie, s'immobilise, vous évite ensuite	Craintif
	Le chiot crie, se débat, veut mordre, bouge ensuite sans arrêt en tous sens	Hyperactif
	Le chiot crie, se débat, veut mordre, montre les dents, hurle, peut uriner, garde ensuite ses distances, avec vous	Peureux

5.	Réaction à la contrainte	Tolérance
	Le chiot se tend, se débat, puis accepte la position	Équilibré
	Il se tend, se débat, mord et n'accepte pas votre contrainte	Dominant
	Il se laisse faire	Soumis
	Il se débat, se tortille, mord, hurle, urine, défèque, les pupilles sont dilatées: peur et intolérance face à la contrainte	Peureux
6.	Test d'élévation	Tolérance
	Le chiot accepte la position et se laisse aller, relâchant son tonus	Équilibré
	Il se débat puis se détend après quelques dizaines de secondes	Équilibré
	Il se débat et on ne peut le calmer, il est très tonique, mais sans aucune agressivité	Hyperactif
	Il se débat violemment, veut mordre, hurle, et sa réaction, loin de s'atténuer, ne fait que s'amplifier si vous le maintenez dans cette position	Peureux
7.	Test de mordant	Mordant
	Le chiot tire directement, grogne méchamment, retrousse les babines, présente une queue raide, refuse de lâcher	Fort
	Il tire, grogne, mais sans retrousser les babines et tout en agitant la queue, puis se désintéresse du jeu ou accepte que vous repreniez le chiffon	Équilibré
	Il renifle et/ou s'éloigne	Faible
8.	Test d'isolement	Équilibre émotionnel
	Le chiot se retire dans un coin, se couche, est indifférent	Distant
	Il miaule, pleure, jappe et cherche à retrouver sa mère et la portée sans s'occuper de vous	Craintif
	Il jappe, aboie, hurle sa détresse, mais fuit absolument tout contact avec vous	Craintif
	Il miaule et jappe un moment puis s'apaise à votre contact et en entendant vos paroles douces	Équilibré

9.	Test de rapport d'objet	Rapport
	Le chiot court derrière l'objet, le prend en gueule et vient vers vous à votre appel	Bon
	Il court derrière l'objet, l'explore, le prend en gueule puis l'abandonne	Correct
	Il commence par courir derrière l'objet puis abandonne	Insuffisant
	Il ne manifeste aucun intérêt pour l'objet, bien qu'il l'ait vu et que l'objet ait été lancé à quelque distance	Absent

La sélection et l'adoption d'un chien adulte

Certains propriétaires préfèrent adopter un chien adulte. Les raisons de ce choix sont diverses.

- Le chien est déjà propre (du moins, on l'espère).
- On peut plus facilement déterminer ses caractéristiques esthétiques et morphologiques, particulièrement pour un chien d'élevage. L'esthétique d'un chien se confirme à l'âge adulte et ce critère est évidemment fondamental pour le choix d'un animal de concours ou de reproduction. Il l'est moins pour un chien de famille.
- Il est plus aisé de déterminer son tempérament.
- Pour éviter à un chien de refuge (SPA) d'être euthanasié.
- Pour offrir à un vieux chien une meilleure fin de vie.

Où peut-on adopter un chien adulte?

- Dans un élevage.
- Dans un refuge (SPA).
- Auprès de parents, d'amis ou de particuliers qui ne veulent plus leur chien ou ne peuvent le garder.
- Dans la rue, en forêt, sur la plage (si on le trouve non identifié).
- Dans un magasin.

Les critères de sélection

Parmi les critères proposés pour la sélection d'un chiot, certains sont valables pour le chien adulte, avec toutefois quelques adaptations.

- Les tests de santé (voir p. 79)
- Les tests de comportement et de caractère

Les tests de comportement

Parmi les tests de caractère développés pour le chiot, certains s'appliquent aussi au chien adulte.

- L'approche du chien
- Le test auditif
- La réaction à la contrainte (!)
- Le test de mordant (!)
- Le test d'isolement

Synthèse des tests comportementaux applicables à un chien adulte

1.	APPROCHE DU CHIEN	SOCIABILITÉ
	Chien prudent, curieux, décontracté, queue frétillante	Équilibré
	Chien actif, tonique, queue frétillante, mordille	Tonique
	Chien actif, vous menace	Agressif
	Chien craintif, reste à distance, s'éloigne à votre approche, posture basse	Craintif
	Chien peu réactif, inexpressif	Hypotonique
	Chien sans cesse en mouvement	Hyperactif
2.	TEST AUDITIF : AGITER UN TROUSSEAU DE CLÉS, FAIRE CLAQUER LES MAINS	TOLÉRANCE
	Absence totale de réaction	Sourd
	Fuite, échappement, maintien à distance	Peureux
	Exploration du bruit	Équilibré

3.	RÉACTION À LA CONTRAINTE (!)	TOLÉRANCE
	Il se tend, se débat, puis accepte la position	Équilibré
	Il se tend, se débat, mord et n'accepte pas votre contrainte	Dominant
	Il se laisse faire, sans être tendu	Soumis
	Il se débat, se tortille, mord, hurle, urine, défèque, les pupilles sont dilatées : peur et intolérance face à la contrainte	Peureux
4.	TEST DE MORDANT (!)	MORDANT
	Il tire directement, grogne méchamment, retrousse les babines, présente une queue raide, refuse de lâcher	Fort
	Il tire, grogne, mais sans retrousser les babines et tout en agitant la queue, puis se désintéresse du jeu ou accepte que vous repreniez le chiffon	Équilibré
	Il renifle et/ou s'éloigne	Faible
5.	TEST D'ISOLEMENT	ÉQUILIBRE ÉMOTIONNEL
	Le chien se retire dans un coin, se couche, est indifférent	Distant
	Le chien jappe, aboie, hurle sa détresse et fuit absolument tout contact avec vous	Craintif
	Le chien jappe ou aboie un moment, puis s'apaise à votre contact en entendant vos paroles douces	Équilibré
	Le chien vient directement à votre contact	Équilibré

Outre les tests décrits ci-dessus, je vous invite à parcourir le chapitre portant sur les tests de comportement pour chiens adultes dans mon livre *L'éducation du chien*. Ils sont destinés aux chiens qui vivent dans une famille, mais certains d'entre eux peuvent être adaptés pour aider à la sélection d'un chien adulte.

Le test idéal reste de prendre le chien quelques jours à l'essai et de le tester dans toutes les circonstances où il devra vivre. On ne pourra pas juger de sa capacité à s'attacher à ses nouveaux propriétaires, mais on pourra évaluer ses capacités d'adaptation à des environnements variés. Pour que se crée un attachement durable avec les nouveaux propriétaires et pour juger du tempérament réel de l'animal, il faudrait attendre environ six semaines. Ce test de quelques jours indique simplement ses réactions générales face à l'environnement: ses comportements d'agression, ses peurs, ses anxiétés…

Acquisition d'un chien d'élevage

Acquérir un chien adulte dans un élevage devrait être un gage de qualité. On peut en effet évaluer le chien selon plusieurs critères de qualité.

La qualité et la renommée de l'élevage

Il y a d'abord les critères d'hygiène et de bien-être. Si les chiens semblent avoir du plaisir et qu'ils ne présentent pas de troubles comportementaux tels que l'agressivité, l'hyperactivité ou la peur, alors on se trouve en présence d'un élevage qui pense sans doute «comportement».

La transparence, c'est-à-dire l'autorisation de tout voir et de tout savoir – on ne vous cache rien – est un autre critère de qualité. Si les chiens sont cachés et qu'on vous interdit l'accès à certaines pièces – à l'exception d'une maternité avec des chiots en bas âge et des appartements privés – la méfiance est de rigueur.

Le comportement du chien

Vous devez pouvoir rester quelques heures dans l'élevage à observer le chien sur lequel s'est porté votre choix. Comment est-il intégré dans le groupe? Comment est-il socialisé aux chiens et aux gens?

Posez des questions sur son histoire, sa vie en tant que chiot, ce qu'il a vécu. Essayez de savoir comment il a été stimulé. Posez des questions ouvertes plutôt que des questions auxquelles on peut répondre par oui ou non. Par exemple: «Où et comment a-t-il vécu son jeune âge? Donnez-moi des détails. Qui a-t-il rencontré?» Si vous posez la question: «A-t-il rencontré des enfants avant l'âge de trois mois?», le vendeur vous répondra presque toujours oui, car il se doute que vous attendez cette réponse.

Les concours auxquels a participé le chien

Si le chien a déjà participé à des concours, que ce soit des expositions, des compétitions, un concours de beauté ou un concours de travail, ses performances et contre-performances seront des faits connus. Les documents attestant ses résultats constituent un argument qui fera pencher la balance en faveur de son acquisition ou qui incitera au contraire à choisir un autre chien.

Les documents

Je vous suggère de vous reporter à la page 70. Mais voici quelques informations supplémentaires. Si vous désirez acheter un chien au prix fort dans un dessein particulier, peut-être serait-il sage de faire garantir par l'éleveur que le chien a toutes les qualités requises pour cet objectif, que ce soit la reproduction, les concours ou les expositions, ou simplement la vie de famille. Dans ce dernier cas, le chien devra être socialisé aux adultes, aux enfants et aux personnes âgées. Il ne devra pas craindre les bruits de la ville, il devra être propre, etc. À vous de faire la liste de vos exigences et de faire signer le contrat par le vendeur, avec une garantie de plus de deux mois!

Adoption d'un chien de refuge

On ne peut avoir les mêmes exigences quand on adopte un chien de refuge que lorsqu'on achète un chien dans un élevage. L'adoption d'un chien de refuge est en partie liée au désir de porter secours aux chiens abandonnés. Il faut cependant savoir que près de 80% des chiens de refuge s'y trouvent parce qu'ils présentaient un désordre comportemental. Peut-être s'agissait-il d'une pathologie individuelle, ou peut-être que ce dérèglement était attribuable à une mauvaise relation avec la famille d'accueil? Comment le saurez-vous?

Même un chien très gentil en refuge peut ne pas être habitué aux enfants ou aux nouveau-nés, aux chats, à la volaille, aux bruits de la rue. À cet égard, observer un chien en refuge n'est pas suffisant. La vie en refuge permet néanmoins de déterminer la capacité du chien à vivre en groupe, et cela constitue déjà une excellente information.

La perte des rituels

Un chien de refuge a vécu en général dans une famille, puis dans le refuge, avant de venir s'installer dans votre famille. Cela fait au minimum trois environnements différents, chacun avec ses propres règles, ses propres rituels apaisants. Changer de milieu, c'est aussi changer de rituels, donc perdre l'effet apaisant des rituels de sa famille pour se retrouver avec les rituels d'une autre famille, mal compris et donc angoissants. Le chien de refuge traverse une période d'anxiété qui dure de trois à six semaines avant de s'adapter à sa nouvelle famille. Il peut se montrer calme ou agressif, mais ce n'est pas toujours sa vraie personnalité qui pointe. Après six semaines, on peut commencer à le découvrir tel qu'il est réellement.

Cette période peut déjà engendrer des conflits avec les adoptants. Il vous faudra faire preuve de beaucoup de tolérance et de patience. Il est toutefois nécessaire d'offrir un cadre de vie clair pour faciliter son adaptation. Si le chien continue à poser des problèmes au-delà de ces six semaines, il faudra consulter un vétérinaire comportementaliste.

Adoption d'un chien de particuliers, de parents ou d'amis

Les propos ci-dessus concernant le chien de refuge s'appliquent en partie au chien de particuliers, à la différence que l'histoire et les comportements de ce chien sont connus. On peut donc prévoir ses réactions. On ne se trouve pas dans une situation de méconnaissance totale. Cependant, le comportement d'un chien peut changer d'un groupe social à un autre, particulièrement ce qui touche à la hiérarchie. Si vous désirez en savoir plus sur ce sujet, reportez-vous à mon livre *Mon chien est-il dominant?*

La socialisation et la sociabilité du chien

La socialisation est l'apprentissage de moyens de communication dans un groupe social. La sociabilité est la recherche du contact social, de la présence des autres (humains, chiens ou autres animaux). On s'attend à ce que le chien soit socialisé et sociable. On prend souvent cet élément pour acquis, or tous les chiens ne sont pas sociables. Le chien doit apprendre le contact social. C'est le but de la socialisation. Il y a deux types de socialisation :

- la socialisation primaire, qui se fait entre la naissance et l'âge de 3 mois ;
- et la socialisation secondaire, qui se fait après l'âge de 3 mois.

La période de socialisation primaire

C'est un sujet qui est enfin à la mode. Le chiot possède une période d'apprentissage fabuleuse entre l'âge de l'ouverture des yeux et des oreilles (vers 2 semaines) et l'âge de 3 à 4 mois. Que peut-il apprendre? Il peut tout apprendre. Il doit tout apprendre. Il peut et il doit apprendre au minimum :

- à quelle espèce il appartient (identité d'espèce) ;
- quelles seront les espèces amies (qu'il ne chassera et ne mangera pas) ;
- quel est le milieu de vie dans lequel il fera bon vivre ;
- à contrôler ses morsures et sa motricité.

Pendant la période de socialisation primaire, le chiot établit des seuils de référence sensoriels dans son ordinateur cérébral. Quand ces seuils sont dépassés, il ressent des émotions et agit pour éviter les stimulations potentiellement dangereuses.

La tolérance au bruit

Prenons un exemple. L'intensité du bruit est chiffrée en décibels (dB). Une conversation courante se situe aux environs de 30 dB. Le bruit urbain en forte circulation monte à 60 dB. Un avion à réaction au décollage est à 100-110 dB. Le seuil de douleur pour l'être humain est aux environs de 80 dB. Un chiot qui a vécu sa période de socialisation en sortant en ville, dans les marchés, dans les gares ou dans la rue établit un seuil de réaction de crainte au bruit aux environs de 60 à 80 dB. En revanche, un chiot ayant vécu sa période de socialisation à la campagne risque d'établir un seuil de réaction de crainte au bruit aux environs de 30 à 40 dB. Dès lors, immergé en ville, il réagira avec crainte et tentera de s'échapper.

Le chiot des villes, le chiot des champs

Le chiot s'adapte plus facilement en passant d'un biotope riche à un biotope pauvre. Un chiot qui a vécu sa jeunesse en ville s'adapte mieux à la campagne ou à la mer qu'un chiot ayant vécu à la campagne – le chiot des champs – et qui doit émigrer en ville. Ce chiot semble submergé d'informations, ne sait pas quoi en faire ni comment les organiser, et prend peur. Il risque même de faire une attaque de panique et de tenter de fuir ces lieux terrifiants.

Le chiot de ville est plus à l'aise dans tous ces environnements agités et bruyants, pour autant qu'il les ait fréquentés avant l'âge de 14 semaines. Le chiot d'appartement qui n'a pas mis le nez dehors, du moins pas dans des lieux agités et bruyants, avant l'âge de 14 semaines, ne se débrouille pas mieux et panique autant que le chiot des champs.

De l'inadaptation au milieu de vie

Dans *L'éducation du chien,* j'ai détaillé toute la signification de cette période de socialisation primaire. J'ai proposé de comparer le cerveau avec un ordinateur biologique. C'est pendant cette période que le cerveau définit l'organisation, les zones spécialisées et les détails de sa structure. Si le cerveau se développe suivant une impulsion génétique, il subit un processus de maturation qui est lié, lui, à l'influence de l'environnement. Un chiot privé de lumière pendant ses trois premiers mois de vie devient aveugle. Et c'est définitif. Un chiot privé de contact social avec des humains devient un chien sauvage. Et c'est aussi quasiment définitif. Un chiot privé de contacts avec des chiens aura peur des chiens ou les attaquera, voire éventuellement, s'il fait partie d'une race de grande taille, chassera les petits chiens (et les mangera).

L'apprentissage des postures apaisantes et du contrôle de la motricité

Les chiots de 5 semaines se poursuivent l'un l'autre. Ils gambadent, crient, gesticulent et courent dans tous les sens. À un moment qu'elle juge opportun, la mère choisit un chiot, le poursuit, vient sur lui, semble l'attaquer. Gueule ouverte, elle saisit la tête entière du chiot ou une partie de son crâne, le happe par le cou ou les oreilles, le pince. Le chiot pousse un «kaï» retentissant et s'immobilise quelques secondes. La mère relâche son rejeton qui s'ébroue et se relance dans le jeu. Elle reproduit le même acte éducatif dans les quelques secondes qui suivent ou plus tard dans la journée. Progressivement, elle provoque chez le chiot un arrêt du jeu, l'adoption d'une position couchée inhibée (sur le ventre ou sur le dos) de plus en plus longue et qui atteindra finalement plus de 30 secondes à une minute.

L'apparente violence de cette manipulation est contredite par l'attrait du chiot vers sa mère. Après le «kaï» et l'immobilisation, le chiot se lance à la poursuite de sa mère. Cette technique éducative n'engendre aucune peur. Pourquoi? Parce que la mère n'y met pas d'autre émotion que celle du jeu; il n'y a en fait aucune agressivité.

Cette éducation se poursuit jusqu'à l'âge de 3 à 4 mois, alors que le chiot est censé avoir acquis un bon contrôle de sa motricité. D'autres chiens adultes peuvent remplacer la mère et se charger d'apprendre l'autocontrôle aux chiots. Leur présence est très favorable, car le chiot apprend à se soumettre et à respecter l'autorité d'autres chiens que sa mère.

Le contrôle de la morsure

Tous les chiots ne naissent pas avec le même contrôle des morsures. Au cours des jeux de combat, le chiot inflige à ses semblables des morsures au cou, à la face et aux oreilles. Ces morsures, faites par des dents de lait pointues comme des aiguilles, sont douloureuses. Le chiot mordu crie. Ensuite, il inverse la situation à son avantage et mord à son tour. Ces morsures réciproques, accompagnées de cris de douleur, permettent à chacun des chiots de contrôler l'intensité de sa morsure et d'apprendre à inhiber celle-ci. Cette inhibition du mordant s'acquiert avant l'éruption des dents adultes et avant l'entrée dans la hiérarchie des adultes, soit avant l'âge de 4 mois environ. Le jeu de combat disparaît alors pour faire place au monde sérieux des conflits hiérarchiques. Si les jeux de morsures ne se régulent pas d'eux-mêmes, la mère intervient comme dans les jeux de poursuite.

L'absence de certains autocontrôles

Les jeux, les courses, les bousculades, les mordillements et les morsures, les vocalises (aboiements), toutes ces activités motrices volontaires doivent être sous l'influence du centre de contrôle, de l'interrupteur cérébral. Imaginez un chien qui aboie 10 heures par jour, qui demande à jouer à 3 heures du matin, qui est distrait par un papillon au moment d'un exercice requérant sa concentration, qui élimine quand le besoin s'en fait sentir... Vous aurez le parfait tableau d'un chien hyperactif dont les performances au travail seront médiocres et dont la présence comme chien de famille sera une nuisance.

La socialisation secondaire

La socialisation secondaire permet au chien de s'habituer à un nouvel environnement, à de nouvelles personnes ou à de nouveaux chiens en se servant des acquis de la socialisation primaire. Mais quand la socialisation primaire est insuffisante, la socialisation secondaire a bien du mal à se mettre en place pour compenser les carences et les déficiences relatives au comportement social, aux peurs, à l'hyperactivité, à l'inadaptation générale au monde et à la vie en société.

Lorsque la socialisation primaire a été effectuée correctement, la socialisation secondaire permet ou facilite :

- l'adaptation de la communication à diverses races de chiens ;
- le contact avec toutes sortes de gens (de couleurs et de types divers) ;
- le contact avec toutes sortes d'animaux (volaille, chat, cheval, kangourou...) sans qu'il y ait poursuite ;
- l'apprentissage des ordres de base pour être un chien-bon-citoyen ;
- l'initiation à des techniques spécifiques, à des sports ou à des professions diverses ;
- etc.

La sociabilité

Le chien sociable recherche le contact social de ses congénères chiens et de ses amis humains. On demande à la majorité de nos chiens de famille d'être sociables, mais on souhaite que les chiens de garde soient capables d'accepter les amis et de maintenir les intrus à distance. Quant aux chiens d'intervention (police, armée), ils doivent pouvoir être sociables et se montrer agressifs sur commande envers une personne désignée par leur instructeur, et cela, sans se tromper.

Depuis 15 000 ans de vie commune, les humains ont sélectionné des chiens de plus en plus sociables. La génétique entre pour une part importante dans la recherche du contact social, mais une part tout aussi importante est liée aux étapes de socialisation primaire et secondaire. Toutefois, certains chiens ayant eu une excellente socialisation – primaire et secondaire – peuvent perdre une part de leur sociabilité aux environs de la puberté et de l'âge adulte. Selon moi, cette désocialisation est liée à des facteurs génétiques. On trouve fréquemment le même problème chez un des parents ainsi que chez un quart à la moitié de la portée (frères et sœurs).

Je ne peux qu'encourager toute personne qui désire acquérir un chien sociable (et même très sociable) à :

- tester le chiot avant l'acquisition ;
- observer également ses parents et d'autres descendants des mêmes parents.

Conclusions

Les synonymes de sociabilité sont nombreux: amabilité, convenance, tact, modestie, gentillesse, délicatesse, douceur, attention, générosité... On attend toutes ces qualités d'un chien, mais elles ne sont garanties par aucun éleveur, aucun vendeur et aucun expert. Le chien parfait n'existe pas. Il est évident que le chien a plus de qualités que de défauts, qu'il nous apporte plus de joies que de peines, sinon on ne vivrait pas avec lui depuis si longtemps et en si bonne entente.

Un ou plusieurs chiens ?

Le chien est un animal social, tout comme l'homme. Les humains vivent généralement en groupe, et il en est de même pour le chien. Il s'accommode bien de vivre avec les gens. Mais peut-il cohabiter avec d'autres chiens?

La sociabilité du chien est limitée à sa meute

La sociabilité du chien est grande, mais elle n'est pas universelle : elle se limite en général au cercle familial, y compris les amis proches de la famille et les personnes qu'il voit souvent. Dans la nature aussi, le chien sauvage et le loup sont sociables dans leur cercle familial, au sein de leur meute, mais très peu avec les individus des autres meutes. Il n'est donc pas étonnant que les chiens qui se rencontrent pour la première fois cherchent à se situer les uns par rapport aux autres afin de s'affilier, d'entrer en relation, et même en hiérarchie, avant de pouvoir communiquer et jouer. Pour que le chien soit sociable avec ses congénères, il doit les rencontrer souvent.

Le chien et la solitude

De nombreux chiens sont forcés de vivre seuls au cours de la journée. Souvent, ils restent à la maison pendant 8 heures, parfois 10, sans sortir de leur environnement. Bien peu d'humains en sont capables, ils ont besoin de sortir pour rencontrer d'autres humains. Rares sont ceux qui n'ont aucun contact social pendant autant de temps que les chiens. Ceux-ci supportent difficilement cette solitude et certains expriment leur mécontentement ou leur désarroi par des aboiements, des destructions ou des souillures, en somme, par des nuisances. La présence d'un autre chien pourrait-elle éviter ces nuisances? Dans la majorité des cas, la réponse à cette question est « non ».

Les chiens entre eux

Les chiens vivent en hiérarchie. C'est quasiment une obligation pour eux. Elle simplifie les relations sociales et les rend plus compréhensibles. Dans une hiérarchie bien structurée et bien équilibrée, chaque chien connaît sa place et respecte celle des autres. Quand la hiérarchie n'est pas bien équilibrée, les chiens se battent, marquent leur territoire avec l'urine, produisent des nuisances. Cela arrive souvent entre chiens du même sexe. Dès lors, si on désire adopter plus d'un chien, il vaut mieux prendre des chiens de sexe opposé. Si on acquiert plus de deux chiens, on risque des conflits.

Faut-il acquérir un ou plusieurs chiens ?

J'aurais tendance à dire qu'il vaut mieux adopter deux chiens plutôt qu'un seul et, surtout, je serais porté à conseiller de ne pas laisser ses chiens seuls à la maison de 6 à 10 heures par jour. Je suis d'avis qu'il faut respecter les besoins comportementaux du chien au maximum et notamment ses besoins de contacts sociaux avec les humains et avec ses congénères.

Le tableau de la page suivante indique les avantages et les désavantages d'avoir deux chiens plutôt qu'un.

DÉSAVANTAGES	AVANTAGES
En cas de nuisances, elles sont plus que doublées.	Isolés, deux chiens peuvent s'apaiser mutuellement, s'ils représentent l'un pour l'autre une figure d'attachement.
Les chiens imitent plus facilement les défauts de leurs congénères que leurs qualités.	Ils jouent plus facilement entre eux.
Les groupes de chiens fuguent plus aisément que les chiens solitaires.	Les chiens partagent plus de jeux sociaux lorsqu'ils sont en groupe que seuls.
Les chiens de même sexe ont tendance à entrer en compétition hiérarchique et à se battre.	Ils mangent plus facilement (compétition).
À la maison, deux chiens mâles sont enclins à marquer à l'urine des endroits inconvenants (dans la maison).	Ils sont rarement isolés les uns des autres, ce qui convient mieux à leurs besoins de sociabilité.
Il est plus difficile pour une personne seule de promener deux chiens en laisse.	

Le chien et les autres animaux

Le chien est un prédateur

Doté d'armes redoutables, le chien est capable de chasser et de tuer des proies qui font quatre à cinq fois sa masse et sa taille. C'est un prédateur, mais aussi un charognard et un éboueur. Le comportement de chasse du chien est activé par le mouvement de petits ou de grands animaux. Il est important de savoir qu'affamé ou rassasié, le chien chasse. Et, bien entendu, le comportement de chasse est plus spécifique chez certaines races sélectionnées à cet effet.

L'ami et la proie

Le chien ne mange pas ses amis. La socialisation primaire et secondaire freine le comportement de chasse. Si le chien a été socialisé avec le chat de la maison dans son jeune âge, il respectera ce chat, du moins si celui-ci ne s'enfuit pas. Sinon, le chien pourrait avoir tendance à le pourchasser. Si le chat court dans le jardin, les chances sont grandes que le chien le poursuive.

Les chiens de ferme élevés avec la volaille et les moutons ne tuent ni volaille ni moutons. En revanche, les chiens de ville en excursion à la campagne risquent de pourchasser et de tuer ces animaux de ferme.

Une relative bonne entente

Pour qu'un chien s'entende relativement bien avec d'autres animaux, il doit avoir été socialisé avec les espèces en question. Mais il faut savoir que la socialisation primaire ne protège pas totalement ces espèces. En effet, elle a tendance à se faire avec un d'individu et non avec l'espèce entière. Un chiot socialisé avec un chat blanc respectera plus facilement les chats blancs que les chats d'autres couleurs.

Si vous avez déjà un chat, des poules, des canards, un lapin, des cobayes et d'autres animaux, et si vous désirez que votre chien soit sociable avec eux, choisissez un chiot de 7 semaines. L'adoption d'un chien de plus de 3 mois non socialisé aux animaux est risquée, tout comme l'adoption d'un chien adulte au passé inconnu. On peut cependant adopter un chien adulte dont on sait avec certitude qu'il ne poursuit pas les chats ou d'autres animaux.

L'introduction du chien à la maison

Une fois votre chien adopté, vous devrez le ramener à la maison. Il faut envisager:

- la manipulation du chien;
- le transport du chien;
- l'arrivée à la maison;
- la présentation à la famille et, éventuellement, aux autres animaux qui feront partie de son nouveau milieu de vie.

La manipulation du chien

Prévoyez les accessoires nécessaires pour contrôler le chien. Si on peut prendre un chiot dans ses bras ou le transporter dans un panier, ce n'est pas le cas d'un chien adulte de grande taille. On aura besoin d'un collier et d'une laisse (ou un harnais).

Le transport du chien

La plupart des propriétaires vont chercher leur chien en voiture. Ils peuvent être seuls ou accompagnés. Certains chiens sont malades en voiture. Prévoyez un plaid pour y déposer le chien et des papiers pour nettoyer un éventuel vomissement, voire une diarrhée. Si vous pensez faire le voyage en taxi, demandez avant à la compagnie de taxi si elle accepte la présence de chiens. Si c'est possible, emportez un plaid de chez l'éleveur;

grâce à l'odeur de la portée et de la mère dont elle sera imprégnée, cette couverture aura un effet apaisant.

- Si on est seul, il vaut mieux emporter une cage de transport et y placer le chiot, sur une alèse ou une couverture. La cage, posée sur le siège avant, sera fixée avec la ceinture de sécurité. De cette façon, le conducteur pourra observer le chiot, constater ses demandes d'élimination, s'assurer qu'il n'est pas malade (nausées) et le réconforter de la main ou de la voix.
- Si on est à plusieurs, le passager prendra le chiot sur les genoux, sur un plaid ou une alèse, et s'occupera de lui.
- Si le chiot a des vomissements, ne vous fâchez pas, ce n'est pas sa faute, il a le mal des transports.

Il faut aussi envisager d'autres moyens de transport.

- *À pied.* Dans les bras, dans un panier, dans un sac à dos ou un sac ventral pour un chiot ou un chien de petite taille, en laisse pour un chien de grande taille. Un chiot ne peut pas marcher sur une distance plusieurs kilomètres. Si le trajet est long, prévoyez un autre mode de transport (voiture, taxi).
- *À bicyclette ou à motocyclette.* Vous pouvez ramener un chiot ou un petit chien dans un sac à dos, dans un sac ventral ou dans un sac de bicyclette ou de motocyclette. Mais veillez à ce que le chien ne puisse s'en échapper pendant le transport.
- *Le tramway, l'autobus, le métro ou le train.* Informez-vous auprès des compagnies de la possibilité de transporter un chien. Certaines n'acceptent que les chiens d'aide (chiens d'aveugle ou chiens policiers, par exemple) et refusent l'accès aux autres chiens.
- *En avion.* Informez-vous des exigences de la compagnie d'aviation en ce qui concerne le transport des chiens. En général, une cage de transport est obligatoire pour le voyage en soute. Les petits chiens de 5 à 10 kg peuvent voyager en cabine, dans un panier sur les genoux de leur maître. Informez-vous auprès d'un vétérinaire de la possibilité d'utiliser un sédatif.

- En bateau. Informez-vous auprès de la compagnie de navigation. S'il s'agit d'un petit bateau, équipez le chien d'une bouée de sauvetage appropriée (vous en trouverez dans le commerce) ou gardez le chien près de vous avec un harnais et une laisse ou attaché à un point fixe (en cabine, au mât). Prévoyez les médicaments nécessaires en cas de mal de mer.

L'arrivée à la maison

Avant d'aller chercher le chien, vous aurez déjà déterminé où il dormira, où il mangera et où il fera «ses besoins». Vous aurez fait une liste des lieux où l'accès sera autorisé ou interdit. À l'arrivée du chien, après un petit tour par les toilettes, vous lui montrerez les lieux. Une fois l'excitation du moment passée, vous lui offrirez un petit goûter. Vous le sortirez de nouveau et l'encouragerez à aller dans son lieu de couchage au moindre signe de sommeil. La vie ensemble commence vraiment.

La présentation d'un chiot à un chien adulte

Si vous lisez ce guide, c'est que vous avez sans doute décidé d'adopter votre premier chien. Si vous en avez déjà un, voici ce que je suggère pour la bonne insertion du chiot dans son nouveau milieu.

Le résidant peut se montrer agressif ou boudeur, il peut faire une dépression ou rechercher votre attention par un comportement particulier (devenir incontinent, manger davantage) ou par une série de symptômes corporels allant des problèmes de léchage de la patte à des diarrhées. Il peut par exemple manifester de l'agressivité, de la compétition ou de la tristesse.

Pour réussir l'adaptation mutuelle des chiens, plusieurs conditions sont nécessaires:

- le bon état de santé des deux chiens;
- leur bonne socialisation et leur équilibre psychique;
- l'intelligence du propriétaire, qui doit comprendre ce qui va se passer;
- l'absence réfléchie et relative d'intervention du maître.

Il faut d'abord savoir que plus le chiot est jeune, plus facilement il sera adopté par le chien résidant. Et cette adoption se fera d'autant plus aisément que les animaux se connaissent déjà.

Quand vous introduisez le chiot chez vous, essayez de placer votre chien résidant chez des amis pour une dizaine d'heures.

- Vous pourrez ainsi vous concentrer sur le chiot et ses activités.
- Ce dernier pourra s'acclimater à un nouvel environnement physique sans subir la pression d'un membre de son espèce.
- Le résidant montre moins de réactions de défense territoriale (agressivité, marquage territorial, etc.) après une absence de quelques heures.

Comment mettre les deux chiens en présence

Il existe plusieurs méthodes qui dépendent de la socialisation, de la tolérance et de l'agressivité du chien résidant. Deux situations peuvent se présenter.

- Le chien résidant présente un tempérament équilibré.
- Le chien résidant s'est déjà montré agressif envers d'autres chiens, notamment des chiots. Dans ce cas, consultez un vétérinaire comportementaliste qui vous indiquera un programme de rééducation approprié, associé ou non à une médication antiagressive.

Le propriétaire dressera un plan sommaire des surfaces de l'habitation afin d'identifier les lieux à valeur sociale et d'y inscrire les surfaces adaptées au chiot.

Une fois les chiens en présence l'un de l'autre, *supervisez les événements, mais sans intervenir,* dans les limites du possible. Si les chiens sont destinés à vivre ensemble, il faut que leurs liaisons sociales soient régies par une relation hiérarchisée. Celle-ci s'établit par l'interaction physique des animaux. Généralement, le résidant menace, gronde et attrape le nouveau venu par la peau du cou, le plaquant au sol. Le chiot accepte la dominance de l'aîné et se met en position de soumission. Cela n'est évidemment possible que si les animaux ont bénéficié d'une socialisation équilibrée, s'ils contrôlent leurs morsures et utilisent les postures ritualisées pour la gestion des conflits. Le résidant peut même mordre le chiot et lui infliger une certaine douleur (normalement, un chien adulte n'attaque pas les jeunes impubères). N'en profitez pas pour l'écarter et consoler le chiot, car le processus de hiérarchisation serait perturbé.

La mise en contact

- La première mise en contact se fera en terrain neutre (dans un parc, dans le jardin, dans la rue).
- Le chiot adoptera les rituels d'apaisement. S'il ne le fait pas spontanément, on le couchera en position de soumission afin que le chien adulte puisse le flairer à son aise et que la hiérarchisation soit établie d'emblée.
- Le chien résidant, dominant, devra être assuré du maintien de tous ses privilèges : il mangera le premier, sera caressé avant le jeune, bénéficiera d'un lieu de couchage à valeur sociale plus élevée (plus près des propriétaires) et sera sorti le premier. Ce sont les égards et les privilèges normaux de la classe sociale dominante, et vous devez les respecter.
- Si le chiot est impertinent avec le chien adulte, on laissera ce dernier corriger le jeune, grogner, menacer de mordre, voire mordre (sous contrôle), jusqu'à soumission du chiot.

Le maître n'interviendra que si le risque de blessure semble important. Il convient de laisser les chiens résoudre seuls leurs conflits. L'intervention inopinée du propriétaire empêche la résolution d'un conflit, déstabilise la hiérarchie et renforce la dominance du chiot qui, se sentant associé au propriétaire jugé dominant, se permettra dès lors de narguer le chien résidant.

Faut-il nourrir les chiens séparément ou ensemble ?

Nourrissez les chiens séparément. Commencez par l'aîné, le dominant. Le chiot doit accepter de voir son aîné manger avant lui. Ne cherchez pas à être « juste » en leur donnant à manger en même temps ; ce serait une injustice à leurs yeux de chiens.

Pour éviter que le dominant n'ingère les deux rations alimentaires, éloignez-le quand c'est au tour du chiot de manger.

Si vous réunissez les deux chiens avant que les bols ne soient vides, vous risquez de créer de petits conflits. Les premiers jours, la compétition entre les chiens les pousse à manger plus vite et même à voler le repas du compagnon. Cette boulimie conduit souvent d'ailleurs à des régurgitations.

La présentation aux autres animaux de son nouveau milieu de vie

Si vous avez d'autres animaux à la maison (chat, furet, lapin, oiseau, tortue, etc.), la cohabitation nécessitera quelques adaptations. Selon l'âge du chien, la situation sera légèrement différente.

- Le chiot de moins de 3 mois n'a pas terminé sa période de socialisation et s'adapte plus aisément à des êtres vivants inconnus.
- Le chiot de plus de 3 mois et le chien adulte s'adaptent plus difficilement aux êtres vivants inconnus et réagissent plus fréquemment par des comportements de peur et de poursuite.

Introduction d'un chiot dans une famille comprenant un petit animal

La meilleure technique pour aider un chiot à s'adapter à un petit animal comme un chat, un furet ou une tortue consiste à contrôler ou à limiter les mouvements du chiot et de laisser le petit animal libre de circuler, de s'habituer à la présence du chiot, sans être incommodé par des attaques ou des demandes de jeu incessantes.

Pour contrôler le chiot, il faut intervenir et le forcer à s'immobiliser (sur le ventre ou, mieux encore, sur le dos, en position de soumission) dès qu'il se montre rude ou trop excité. Pour limiter les mouvements du chiot, on peut l'enfermer dans un parc pour enfant, le mettre en laisse et l'attacher à un pied de meuble.

On utilise cette méthode quand les deux compères sont seuls ou sans surveillance. Il est parfois nécessaire de les séparer, pour la paix du ménage.

S'il s'agit d'un chat, l'idéal serait qu'il ait été socialisé aux chiens, et dans le cas d'un chiot, aux chats. Le mieux, si l'on désire avoir un chien et un chat, serait d'adopter un chaton et un chiot du même âge et de les faire vivre ensemble.

Présentation d'un chien adulte à un petit animal

Un chien adulte qui n'a jamais connu le type d'animal auquel vous désirez le présenter risque d'avoir un comportement de poursuite (chasse) ou de peur. À ce sujet, lire le chapitre intitulé Le chien et les autres animaux. Pour préserver le petit animal de tout risque d'accident, la meilleure technique est de limiter les mouvements du chien en l'attachant et de permettre au petit animal de s'adapter et de découvrir les meilleures stratégies : se cacher, rester à distance, venir explorer petit à petit, etc.

Se séparer d'un chien

La mort de notre chien aimé

Il n'est pas vraiment paradoxal de parler de se séparer d'un chien alors que l'on est en train de décider si l'on en veut un ou pas. Avant d'adopter un chien, il faut savoir que la vie affective que l'on développera avec lui prendra fin à plus ou moins long terme. En effet, un chien vivant en moyenne 10 à 15 ans, on devra donc faire face un jour à sa disparition.

Lors du décès, on passe par une phase de deuil qui dure de quelques jours à quelques mois. Ce deuil est mal accepté par la société qui estime que le chien « n'est qu'un animal » et est donc remplaçable. Sachez qu'il n'en est rien et qu'une amitié ne se remplace jamais. Le deuil d'un chien doit se faire, et c'est un processus douloureux.

Lorsque le chien meurt, que faire de son corps ? Il y a différentes possibilités.

- L'enterrer dans son jardin. C'est possible si on a un jardin, si le chien n'a pas de maladie contagieuse et si la ville où on habite l'autorise. Il faut l'enterrer à au moins 60 cm de profondeur.
- Le faire incinérer. Il existe des services d'incinération collective ou individuelle (avec ou sans récupération des cendres) pour un prix établi. Parlez-en à votre vétérinaire.
- Le faire enterrer dans un cimetière pour chiens. Ce service existe dans divers pays et le prix et la durée de la concession varient. Parlez-en à votre vétérinaire.
- Le faire embaumer. C'est une solution onéreuse mais réelle que très peu de personnes choisissent.

Le chien que l'on ne peut plus garder

Que faire d'un chien que l'on ne peut (ou veut) plus garder? Il y a plusieurs solutions.

- Le donner à des amis. Pourquoi pas?
- Le mettre dans un refuge (SPA). Cet endroit est fait pour ça, et le chien aura à peu près 50% de chances de retrouver un propriétaire.
- Le revendre. C'est une solution possible si c'est un chien de valeur qui a un comportement irréprochable et qui est super bien dressé.
- Le faire euthanasier chez un vétérinaire. À envisager s'il n'y a pas d'autre solution, si le chien est malade ou âgé, s'il souffre de problèmes de comportement, s'il est agressif.

Les suggestions suivantes ne sont pas acceptables.

- L'abandonner dans la rue. C'est immoral et... interdit par la loi.
- Le confier à des services de gardiennage. Ils sont déjà surchargés de demandes de la part de propriétaires de chiens agressifs. Mais qui sait?
- Le confier à son vétérinaire. Il serait rapidement débordé par des demandes d'hébergement et il ne peut jouer le rôle d'un refuge. Certains d'entre eux proposent cependant un replacement.

Les chiens du divorce

Les personnes qui se séparent ou divorcent se partagent les biens meubles et immeubles qu'ils ont acquis en communauté. Le chien fait partie du lot. Qui va le prendre en charge?

Dans certains cas, la convention de séparation prévoit que le chien, tout comme un enfant, passe la semaine chez l'un et un week-end sur deux chez l'autre, ou vit une semaine chez une personne puis une semaine chez l'autre, ou encore vit définitivement chez un des deux ex-conjoints, sans plus aucun droit de regard de la part de l'autre.

Le budget « chien »

Plusieurs dépenses sont à prévoir au moment de l'acquisition d'un chien.

- *Alimentation.* Aliments industriels ou ménagers, os, objets à mâcher (oreilles de cochon, os en cuir, etc.).
- *Matériel.* Collier, laisse, panier, couverture, jouets, etc.
- Assurances.
- *Soins de santé.* Visites chez le vétérinaire, vaccinations annuelles, vermifuges, médicaments divers, opérations pour des raisons de convenance personnelle (stérilisation) et en cas de maladie ou d'accident, radiographies, analyses de sang, etc.
- *Soins d'entretien.* Brosse, peigne, matériel de toilettage, visites chez un toiletteur.
- *Éducation.* Livres, éducateur, école de chiots, école d'écoute, dressage particulier, terrain d'*agility*, vétérinaire comportementaliste, congrès d'information et de formation, journées d'éducation pratique, etc.
- *Divers.* Matériel détruit par le chien.
- *Vacances.* Chenil de vacances, coût du billet d'avion, surcoût du logement (hôtel, chambre d'hôte) avec chien.

Le prix d'achat

Le prix d'achat du chien varie beaucoup : aucun frais (on vous a donné le chien), quelques dizaines de dollars ou d'euros (acquisition en refuge), 500 dollars ou 350 euros au minimum pour un chien acheté chez un éleveur, plus de 1000 dollars ou 760 euros pour un chien d'élevage, plusieurs milliers de dollars ou d'euros (17000 à 20000 dollars ou 12000 à 15000 euros) pour un chien champion pour l'élevage ou un chien professionnel dressé (chien de pistage, pour la recherche de drogue ou chien pour handicapés).

Coût annuel

Dans le tableau ci-dessous, vous trouverez les dépenses annuelles approximatives pour un chien de 20 kg.

	Euros	Dollars canadiens
Alimentation de base	450	326
Alimentation extra (os, biscuits, etc.)	90	65
Matériel (collier, laisse, harnais, etc.)	20	14
Assurances (facultatives)	50	36
Vaccinations annuelles	55	40
Vaccination contre la rage (tous les 2 à 3 ans)	40	29
Vétérinaires (en plus des vaccinations) – suivant nécessité	50	36
Médicaments, vermifuges, produits antiparasitaires	30	22
Entretien (brosses, peignes, etc.)	10	7
Entretien (toilettage – facultatif)	0	0
Éducation (matériel, livres)	50	36
Divers (remplacement ou réparation de matériel détruit)	50	36
Vacances (chenil de vacances [pour une semaine])	80	58
Total	975	707

Les extra

À ce tableau, il faut ajouter les extra : certaines opérations (stérilisation), vêtements (manteaux, bottes), jouets (cordes à tirer, jouets en caoutchouc à mâcher, etc.), les gadgets éducatifs (collier brumisateur), le gilet de sauvetage du chien (pour les promenades en bateau), la grille de séparation dans la voiture, etc. L'acquisition d'une plus grosse voiture pour transporter un chien de grande race est à envisager et constitue une dépense supplémentaire.

Troisième partie
Les questions fonctionnelles

L'interlocuteur privilégié : le vétérinaire

Le vétérinaire vous donnera des réponses précises concernant :

- les informations générales sur les races dans votre pays ainsi que leurs prédispositions à contracter telle ou telle maladie ;
- le prix des interventions médicales et chirurgicales ;
- les obligations légales et municipales (identification, etc.) ;
- quelques noms d'éleveurs connus et réputés.

La consultation avant l'acquisition

Avant d'acquérir un chien, je vous conseille de prendre rendez-vous avec un vétérinaire. Suivant le pays, ce type de consultation est gratuit ou payant. Quand elle est gratuite, la consultation peut durer de quelques minutes à un quart d'heure. Je vous conseille cependant de demander un rendez-vous d'une demi-heure à une heure.

Établissez le cadre de cette consultation en précisant qu'il s'agit d'une discussion avant achat, que vous désirez payer cette consultation (demandez le montant des honoraires horaires), que vous avez des questions précises (écrivez vos questions), etc.

Comment choisir ses vétérinaires ?

J'ai délibérément choisi de vous parler de « vos vétérinaires », car aujourd'hui, un(e) vétérinaire ne peut pas emmagasiner toutes les connaissances et être spécialisé(e) dans tous les domaines. Or, vous avez le droit d'exiger le meilleur service. Dès lors, il faut rechercher la connaissance et l'expertise chez plus d'un vétérinaire. Il semble idéal d'avoir un vétérinaire de confiance près de chez soi pour les urgences, mais aussi un réseau d'experts ou de spécialistes soignant les problèmes de peau, de dents, d'yeux, de comportement, ou encore qui pratiquent des opérations chirurgicales.

La façon la plus habituelle de choisir ses vétérinaires est de suivre la recommandation d'amis ou de connaissances. Mais ce processus défavorise les jeunes vétérinaires qui viennent de s'installer. Vous pouvez aussi consulter les pages jaunes de votre annuaire téléphonique ; vous y trouverez des informations sur les vétérinaires de votre région, de votre ville et de votre quartier.

Médecins vétérinaires généralistes et spécialistes

Tout comme en médecine humaine, vous trouverez des vétérinaires généralistes et des vétérinaires spécialisés (ou spécialistes, quand ils sont diplômés) dans des secteurs précis : dermatologie, ophtalmologie, dentisterie (et orthodontie), comportement, médecine interne, cardiologie, imagerie, chirurgie (et orthopédie), etc.

Le généraliste connaît généralement les spécialistes et peut vous référer à eux. Mais vous pouvez aussi les consulter directement. Certains vétérinaires sont groupés dans des cliniques vétérinaires qui ont du personnel qualifié.

Service médical et vente

La profession de vétérinaire n'a longtemps offert que le service médical. Actuellement, s'ajoute à cette prestation – qui est le fondement même de notre existence de médecin vétérinaire – un service de conseil et de vente (médicaments, aliments diététiques, etc.). Chez de nombreux vétérinaires, vous pourrez acheter des produits alimentaires ou autres.

Les honoraires

Les honoraires des vétérinaires sont libres et varient très fortement en fonction du pays, de la qualification et de l'expertise du vétérinaire, de l'expérience et de la concurrence. Les taxes nationales sont comprises dans les honoraires.

Les métiers associés au chien

Si vous décidez d'adopter un chien, vous aurez besoin de la coopération de professionnels compétents. Voici, par ordre alphabétique, quelques métiers associés au chien. Cette liste est à prendre avec une pincée d'humour!

Ambulancier animalier	Personne qui conduit l'ambulance animalière et rend un service de taxi et, éventuellement, de croquemort.
Comportementaliste non vétérinaire	Utilisé comme substantif, ce terme à la mode désigne n'importe quelle personne qui s'affirme capable de comprendre et de modifier le comportement d'un chien. Ce titre est autodécerné, il ne requiert aucun diplôme et ne garantit pas la qualification professionnelle de la personne. Certains comportementalistes non vétérinaires sont toutefois compétents dans leur domaine.
Comportementaliste vétérinaire	Dans ce cas, ce terme désigne une compétence sanctionnée par un diplôme de spécialisation.
Conseiller canin	Comme son nom l'indique, le conseiller donne des conseils sur la façon de s'occuper de son chien et de se comporter avec lui. Le conseiller est généralement un éducateur ou un comportementaliste non vétérinaire.

Consultant	Est consultant toute personne appelée en consultation, en tant qu'expert, auprès d'une institution. Le vétérinaire comportementaliste est souvent un consultant auprès des compagnies d'alimentation pour animaux, des entreprises pharmaceutiques, des écoles et des groupes d'éducation, des autorités politiques.
Couturier pour chien	Outre les manteaux, les bottes et autres produits industriels, il est possible de trouver du prêt-à-porter pour toutous.
Cynologue	La cynologie est l'étude du chien – plus de sa conformation que de ses habitudes. Le cynologue (ou cynologiste) est donc le spécialiste en cynologie. Ce terme désigne aussi toute personne qui affirme connaître un tant soit peu le chien.
Dresseur	Ce terme est démodé et souvent remplacé par éducateur. Tout comme le maître-chien, le dresseur apprend généralement au chien à faire des choses spécifiques, comme du pistage ou du mordant.
Éducateur canin amateur	De bonne volonté, souvent compétent, il, ou plus souvent elle, passe ses temps libres à vous aider dans l'éducation de votre chien, généralement en club d'éducation.
Éducateur canin professionnel	Non diplômé ou diplômé d'écoles non officielles, et de compétence variable, il éduquera votre chien contre rémunération.
Éleveur amateur	Propriétaire d'une ou de plusieurs chiennes, il cherche à améliorer la race et vend les chiots à un prix raisonnable. En fin de compte, la vente des chiots ne couvre pas les dépenses d'entretien des chiens de l'élevage ni des expositions. L'éleveur amateur devrait être un passionné.

Éleveur industriel .	Il est propriétaire d'une usine de production de chiens. Son but est non pas d'améliorer la race mais de rendre rentable la vente de chiots et de chiens.
Éleveur professionnel	Il est comparable à l'éleveur amateur, mais il vit en partie du produit de la vente des chiots. Il est soumis à une autorisation d'élevage.
Esthéticien canin	Voir Toiletteur.
Éthologue	L'éthologue fait de l'éthologie, c'est-à-dire de l'observation et de l'analyse des comportements des animaux dans leur milieu naturel. L'éthologie du chien est généralement faite par des vétérinaires comportementalistes.
Expert	Personne qui a acquis une expertise et qui rédige des rapports d'expertise officiels, par exemple, pour les autorités judiciaires. Les vétérinaires comportementalistes sont fréquemment consultés en tant qu'experts.
Journaliste animalier	Journaliste spécialisé dans tout ce qui a trait aux animaux.
Kinésithérapeute canin	Métier encore rare. Le kinésithérapeute se spécialise dans les soins pour le chien (même s'il n'y a pas de formation spécifique pour le chien dans ce domaine) et facilite, à l'aide de techniques diverses, le mouvement et la motricité du chien qui souffre de douleurs, d'ankylose ou de paralysie.
Maître-chien	Il éduque un chien pour un service spécial, que ce soit pour la gendarmerie, pour la recherche de drogue ou de disparus, comme chien pisteur ou chien d'aide pour les handicapés sensoriels ou moteurs.
Médecin vétérinaire	Voir Vétérinaire.

Ostéopathe canin	Métier encore rare. L'ostéopathe, généralement vétérinaire ou kinésithérapeute de formation, traite des états pathologiques par micromanipulation des articulations et des vertèbres.
Pet food	Industrie et vente d'aliments pour animaux.
Psychologue pour chien	Voir Comportementaliste. Notez que la plupart des psychologues pour chiens ne sont pas du tout psychologues.
SPA : administrateur	La SPA est administrée par un véritable gestionnaire. Celui-ci s'occupe moins des animaux que de récolter des fonds pour soigner les animaux trouvés, abandonnés ou saisis à la suite de maltraitance.
SPA : bénévole	Volontaire qui travaille gratuitement dans une SPA. Il nourrit, sort, promène les animaux et nettoie les chenils.
Taxidermiste	Professionnel spécialisé en taxidermie : il embaume et empaille les chiens décédés.
Toiletteur	Il s'occupe de l'esthétique des chiens (bain, shampoing, coupe et tonte de poil, coupe des ongles, etc.).
Vétérinaire	Il a une formation en médecine vétérinaire (cinq à six ans d'études avancées) et il est le seul autorisé à pratiquer la médecine vétérinaire, c'est-à-dire à s'occuper des animaux malades, des pathologies, qu'elles soient organiques, psychologiques ou (comporte)mentales.
Vétérinaire comportementaliste	Vétérinaire qui a acquis une spécialisation (diplômante) en médecine du comportement (psychiatrie), en éthologie appliquée et en bien-être animal.
Vétérinaire psychiatre	C'est le vétérinaire comportementaliste, mais il est vrai que la technique thérapeutique s'apparente plus à la psychiatrie qu'à la thérapie (par la prescription de médicaments, par exemple).

Vétérinaire spécialiste	Les vétérinaires peuvent se spécialiser. Ils acquièrent des qualifications ou une expertise dans un domaine particulier comme l'ophtalmologie, la dermatologie, l'imagerie (radiographie, échographie), la cardiologie, etc.
Zoologiste	Scientifique qui étudie la zoologie, la biologie animale. S'il s'occupe de comportement, il sera plutôt éthologue.
Zoothérapeute	Le zoothérapeute s'occupe de faire de la thérapie humaine avec l'aide d'un animal. Celui-ci est utilisé comme médiateur de la communication ou activateur de changement.

Questions fréquentes

Allergie au poil de chien

Les recherches récentes sur l'allergie ont démontré plusieurs choses, dont ceci.

1. Les allergies sont cumulatives, c'est-à-dire qu'on est rarement allergique à une seule chose. Si on est allergique au chien, on l'est certainement à d'autres allergènes. La présence du chien dans l'environnement ne fait qu'accroître le problème, mais il peut aussi déclencher l'apparition de symptômes d'eczéma ou d'asthme jusque-là contenus ou absents.

2. Être allergique au poil de chien ne signifie pas être allergique à tous les chiens. Si vous êtes allergique au poil de labrador, vous ne l'êtes peut-être pas au poil de caniche. Il existe des spécificités dans les types d'allergies.

Comment savoir si vous êtes allergique

Consultez votre médecin ou votre allergologue. Il fera une prise de sang pour déterminer les anticorps de l'allergie au poil de chien en général. Il peut également faire un test cutané pour déterminer l'allergie (c'est recommandé).

Comment savoir à quel type de chien vous êtes allergique? Le plus simple est d'être en contact avec le chien en question, mais exclusivement. La seule façon de procéder est d'aller chez quelqu'un (un ami, une connaissance, un éleveur) qui n'a que cette race et pas d'autres, et d'y passer quelques heures. Si tout va bien, vous n'êtes sans doute pas allergique à ce type de chien. Dans le cas contraire, ne faites jamais entrer ce genre de chien dans votre maison. Les poils et autres allergènes s'y retrouveraient pendant plusieurs mois et vous souffririez inutilement pendant plusieurs semaines à plusieurs mois.

Cadeau

Avant que le chien-cadeau ne se transforme éventuellement en cauchemar, réfléchissons ensemble.

L'objet animal-cadeau

On peut envisager l'animal comme un objet de coût et d'encombrement variables. Outre le coût d'achat, qui est inexistant pour la personne qui reçoit le chien en cadeau, il y a le coût d'entretien. Offrir un chien, c'est un peu comme offrir un téléphone cellulaire sans offrir en même temps l'abonnement et le prix des communications. Le coût d'acquisition est dérisoire par rapport au coût d'entretien. Et contrairement au téléphone cellulaire dont on peut ne pas se servir, l'animal requiert des soins immédiats et permanents, ne serait-ce que des aliments pour survivre. Offrir un animal revient dès lors à imposer une charge financière au destinataire du cadeau.

L'animal bouge, il est sans cesse en mouvement. En offrant un chien à grand-mère, on se dit que promener son protégé fera du bien à ses rhumatismes et qu'observer le chiot courir dans son appartement (même s'il renverse l'un ou l'autre objet de collection) sera pour elle un ravissement et un enrichissement intellectuel et esthétique. Mais a-t-on le droit d'imposer à qui que ce soit une nouvelle façon de vivre?

Si l'animal engendre un état de bien-être affectif et un enrichissement du milieu de vie, il produit aussi des déjections. Qui va s'occuper du chien de grand-père quand ce dernier sera immobilisé par une crise de goutte? Qui va sortir quatre à cinq fois par jour le chien du petit Jules qui est à l'école? Et qui va nettoyer les dégâts?

En ne prenant que ces trois exemples, on se rend aisément compte qu'avoir un animal crée des obligations quotidiennes d'organisation, de financement et de gestion dont est coresponsable la personne qui offre le cadeau.

Le sujet animal-cadeau

L'animal est un être vivant. Il ne s'agit pas d'un robot, d'une peluche mécanisée, d'une poupée ou d'un jouet que l'on peut mettre de côté quand il est cassé. En tant qu'être vivant, l'animal a des droits. On ne peut pas en abuser, on doit lui garantir ses besoins minima d'existence en accord avec les besoins physiologiques de son espèce, de sa race: alimentation, mouvements, interactions sociales, amitié, caresses...

Celui qui ne respecte pas les droits de l'animal tombe sous le coup de la loi et de la justice pénale et risque des amendes et des peines de prison. Comment garantir ce droit au bonheur de l'animal et de la famille qui l'accueille?

Je vous propose une solution: offrez de l'argent à la place de l'animal et laissez la personne décider et prendre ses responsabilités morales et légales. Ou bien offrez-lui des livres, des jeux de réflexion, des cassettes vidéos ou des cédéroms sur les animaux, sur leur développement et leur comportement. Ainsi, le futur adoptant les connaîtra mieux et il fera un choix adulte. En plus, sachez que les vétérinaires vous accueilleront gracieusement pour une courte consultation avant l'acquisition d'un animal.

Dressage

Faut-il dresser son chien? Faut-il le faire dresser par un spécialiste? Faut-il se rendre dans des clubs d'éducation ou de dressage?

Faut-il éduquer et dresser son chien à la maison? Des livres sont-ils conseillés ou utiles? Peut-on apprendre à dresser un chien à l'aide d'un livre, quand on n'a jamais eu de chien?

J'ai écrit *Mon chien est bien élevé* et *L'éducation du chien,* car que je crois sincèrement que l'on peut éduquer et dresser son chien tout seul, à la maison, sans l'aide d'experts. Pour cela, j'ai mis au point ou révélé des techniques simples et d'une grande efficacité. Si ces méthodes ne fonctionnaient pas avec votre chien, je suis prêt à parier qu'il a un problème comportemental et qu'il nécessite une consultation chez un vétérinaire comportementaliste.

Quant aux clubs de dressage, je pense qu'il est intéressant d'y conduire un chien surtout pour qu'il rencontre d'autres chiens et d'autres personnes, d'autant plus si les techniques proposées par les éducateurs sont basées sur les récompenses plus que sur les punitions.

Il existe des écoles pour chiots âgés de 7 à 8 semaines et des écoles pour chiens jeunes et adultes, voire pour chiens âgés. Certaines écoles sont dirigées par les clubs de race et par les associations cynologiques nationales, d'autres sont privées.

Les éducateurs ou dresseurs privés sont intéressants s'ils vous montrent comment procéder, s'ils vous accompagnent dans l'évolution de vos techniques éducatives, s'ils vous guident pas à pas. Je ne recommande pas de confier son chien à un dresseur pour le faire dresser et le récupérer tout éduqué. Cette technique facilite le désengagement du propriétaire face à son chien.

Chien réparateur ou de remplacement

Le chien que l'on acquiert après le deuil d'un autre chien, d'un autre animal ou éventuellement d'une personne, peut jouer un rôle particulier. Adopté dans la phase de deuil, qui dure de quelques semaines à plus d'un an, le nouveau chien peut être investi d'une double fonction :

- réparer le manque d'amour et de relation ;
- remplacer l'être aimé disparu.

Le chien réparateur accélère le processus de deuil, le facilite et permet une adaptation plus rapide de la personne en deuil. Ce chien est aimé pour lui-même, sans être jamais confondu avec le disparu.

Le chien de remplacement doit prendre la place du disparu et il est sans arrêt comparé au disparu, qui est idéalisé. Le chien de remplacement, qui porte parfois même le nom du disparu, ne sera donc jamais à la hauteur des qualités du disparu. Il est à la fois sujet d'amour, puis de rejet, et souffre d'anxiété.

Si on est en deuil d'un être que l'on a beaucoup aimé, il vaut mieux attendre que le processus de deuil touche à sa fin avant d'adopter un chien. Si l'on est certain que le nouveau chien ne sera pas comparé à l'ancien, qu'il sera aimé pour lui-même, on peut adopter un chien au cours du deuil.

Conclusion

Adopter un chien est un engagement de plusieurs années qui demande une réflexion sérieuse. J'ai tenté de répondre aux questions que l'on devrait se poser avant l'acquisition d'un animal, particulièrement d'un chien. Je vous propose maintenant de répondre aux quelques questions suivantes.

1. Quel est le type de chien qui vous conviendrait le mieux : (race, taille, sexe) ?
2. Est-ce que toute la famille est d'accord pour adopter un chien ?
3. Disposez-vous de l'espace nécessaire pour ses besoins comportementaux : courir, se promener, jouer ?
4. Disposez-vous du temps nécessaire pour vous consacrer à votre chien et à ses activités ?
5. Avez-vous la patience et l'envie d'éduquer votre chien malgré ses réticences éventuelles ?
6. Êtes-vous assez tolérant pour accepter ses faiblesses, ses désobéissances et quelques nuisances occasionnelles (dégâts, destructions) ?
7. Avez-vous les moyens et les compétences pour le nourrir et le soigner adéquatement, au même titre qu'un membre de la famille ?
8. Êtes-vous prêt à en prendre soin même si vos conditions de vie devaient changer dans les 15 prochaines années ?
9. Êtes-vous prêt à partager votre vie, jour et nuit, durant de longues années ?

Si vous répondez positivement à toutes ces questions, vous êtes prêt à adopter un chien. Je vous souhaite une vie harmonieuse et très enrichissante avec votre nouveau compagnon.

Annexes

Dysplasie de la hanche

Voici quelques données concernant l'incidence de la dysplasie de la hanche chez certaines races. Cette affection est une malformation en partie héréditaire (30 % d'héritabilité) et en partie liée à des effets de l'environnement (croissance trop rapide, insuffisance de la masse musculaire des fessiers, etc.).

Pourcentage des chiens atteints selon la race

Plus de 30 %	Bullmastiff, saint-bernard.
De 20 à 30 %	American staffordshire terrier, berger allemand, cheasapeake bay retriever, chow-chow, elkhound norvégien, golden retriever, kuvasz, mastiff, rottweiler, saint-hubert, schnauzer géant, setter anglais, setter gordon, welsh corgi pembroke, welsh springer spaniel.
De 10 à 20 %	Airedale, berger de Brie (briard), border collie, bouvier des Flandres, boxer, cavalier King Charles, chien d'eau irlandais, komondor, labrador, malamute, samoyède, schnauzer moyen, setter irlandais, shar-peï, shih-tzu, springer anglais, welsh corgi cardigan.

De 5 à 10%	Cocker américain, cocker spaniel anglais, dalmatien, english pointer, kerry blue terrier, lévrier afghan, lévrier irlandais, lhassa apso, malinois, pinscher, tervueren, vizsla.
De 1 à 5%	Groenendael (berger belge), husky de Sibérie, lévrier persan (saluki).

Législation concernant les chiens potentiellement dangereux (France)

L'arrêté du 27 avril 1999 définit deux catégories de chiens dits dangereux ou supposés tels.

CATÉGORIE I	Le staffordshire bull-terrier, l'american staffordshire terrier (amstaff) sans pedigree et assimilés (les chiens comparables en morphologie) tels que le pit-bull ; le mastiff sans pedigree et ses assimilés tels que le boerbull, et le tosa sans pedigree et ses assimilés.
CATÉGORIE II	Le staffordshire bull-terrier, l'american staffordshire terrier (amstaff), le tosa, le rottweiler et assimilés.

Les chiens de ces deux groupes doivent être déclarés à la mairie du lieu de résidence, être vaccinés contre la rage, identifiés par tatouage et, pour les chiens du groupe I, être stérilisés. De plus, les propriétaires doivent avoir une assurance responsabilité civile couvrant le chien.

Ces chiens doivent être muselés et tenus en laisse sur la voie publique et la partie commune des immeubles collectifs. Leur stationnement dans les parties communes des immeubles collectifs est interdit. Les chiens de la catégorie I sont interdits dans :

- les lieux publics (jardins, parcs, bois) – à l'exception de la voie publique ;
- les locaux ouverts au public (magasins, cliniques et cabinets vétérinaires) ;
- les transports en commun.

Les chiens de la catégorie II doivent être muselés dans les lieux publics, les locaux ouverts au public et les transports en commun.

Références

Outre les années d'expérience et les centaines ou milliers d'articles ou de livres lus, je reprends des terminologies tirées des ouvrages suivants.

COREN, Stanley. *The Intelligence of Dogs,* New York, The Free Press, Macmillan, 1994.

DEHASSE, Joël. *L'éducation du chien,* Montréal, Le Jour, éditeur, 1998.

DEHASSE, Joël. *Mon chien est bien élevé,* Montréal, Le Jour, éditeur, coll. « Guide pas bête », 2000.

DEHASSE, Joël. *Mon jeune chien a des problèmes,* Montréal, Le Jour, éditeur, coll. « Guide pas bête », 2000.

DEHASSE, Joël. *Mon chien est-il dominant?,* Montréal, Le Jour, éditeur, coll. « Guide pas bête », 2000.

TERONI, E., et J. CATTET. *Le chien, un loup civilisé,* Suisse, E.T. & J. C., 2000.

Du même auteur

Dans la collection « Nos amis les animaux » :

L'éducation du chien, Montréal, Le Jour, éditeur, 1998.
L'éducation du chat, Montréal, Le Jour, éditeur, 2000.
Chiens hors du commun, Montréal, Le Jour, éditeur, 2e édition, 1996.
Chats hors du commun, Montréal, Le Jour, éditeur, 1998.

Dans la collection « Mon chien de compagnie » : 46 titres sur les diverses races de chien.

Dans la collection « Guide pas bête » :

Mon chien est bien élevé, Montréal, Le Jour, éditeur, 2000.
Mon jeune chien a des problèmes, Montréal, Le Jour, éditeur, 2000.
Mon chien est-il dominant?, Montréal, Le Jour, éditeur, 2000.

Aux éditions Vander (Bruxelles) :

Le chat cet inconnu, Bruxelles, Vander, 1983.
Mon chien est d'une humeur de chien, Bruxelles, Vander, 1985.
L'homéopathie, pour votre chien, pour votre chat, Bruxelles, Vander, 1987.

Chez Delcourt Productions (Paris) :

Ma vie de chat, Delcourt Productions, 1991 (dessins de Bruno Marchand).

Table des matières

DEUXIÈME PARTIE